SEJA HOMEM
A MASCULINIDADE DESMASCARADA

SEJA HOMEM

JJ BOLA

2ª edição · 4ª impressão

Tradução de Rafael Spuldar

A MASCULINIDADE DESMASCARADA

Porto Alegre · São Paulo · 2024

SUMÁRIO

7 Prefácio
Emicida

11 Introdução
Sem máscara: o que significa ser um homem

23 Capítulo 1
Homens de verdade: mitos da masculinidade

39 Capítulo 2
Símbolos de grupo e oração: violência masculina, agressão e saúde mental

61 Capítulo 3
O que o amor tem a ver com isso? Amor, sexo e consentimento

81 Capítulo 4
Este mundo é dos homens: a política da masculinidade e a masculinidade da política

95 Capítulo 5
Se eu fosse um menino: igualdade de gênero e feminismo

107 Capítulo 6
Vejo você na encruzilhada: intersecções da masculinidade

125 Capítulo 7
O submundo das DMs: masculinidade na era das redes sociais

139 Capítulo 8
Campeonato de enterradas: masculinidade e esporte

155 Conclusão
O homem no espelho: transgressão e transformação

171 Referências e indicações

PREFÁCIO
EMICIDA

A palavra violência, cujo significado vem do latim *uiolentia*, no sentido de veemência, impetuosidade, está ligada, em sua origem, ao termo *uiolare*, que, por sua vez, significa violação. É bastante comum, por isso, compreendermos como violência um ato característico daquele que age com força, uma definição que, inclusive, está presente em muitos dicionários. Esta associação frequente entre violência e força acaba criando um cenário no qual ambas são compreendidas como sinônimos, quando, na verdade, podem ser manifestadas de formas completamente diferentes, até antagônicas, dentro de uma interpretação que, para piorar, também nos afasta do sentido primário do termo — o ato de violar.

Minha experiência pessoal, o lugar de onde percebo a realidade, me faz hoje refletir sobre a violência não somente como um ato, mas como uma linguagem. Uma linguagem que tem sua gênese no desagradável encontro frequente com atos de violência das mais variadas formas: físicos, psicológicos, estatais, domésticos e urbanos. A frequência e até a sobreposição constante desses (des)encontros faz com que episódios de violação sejam absorvidos e incorporados, mesmo quando somos meros observadores de tais episódios em nossa rotina — o que não faz com que eles sejam irreais. Ainda que a violação, no momento em que ela se dá, possa acontecer sem sequer ser percebida por suas vítimas, ou até mesmo por seus praticantes, ela existe, ela continua a existir.

Pois é. Paulo Freire dizia que, quando a educação não é libertadora, o sonho do oprimido é se transformar em opressor. Então, é como assistimos naquela cena de *A cor púrpura*, onde a sempre vilipendiada Celie, interpretada pela fantástica Whoopi Goldberg, observa seu agressor em uma situação de indignação extrema causada por outra mulher e termina por sugerir, com o sorriso mais dolorido da história da arte, a solução que considera adequada — Bate. Os peixes não sabem que estão molhados.

Assim, a violação é muito mais do que simplesmente um ato, ela se transforma em conceito, uma forma de perceber e de se fazer percebido na existência. E, por mais que nos esforcemos para categorizá-la como um traço de irracionalidade, não são poucas as ocasiões, ainda hoje, em que ela é entendida como a razão. Crescemos em bairros onde a menor troca de olhares pode iniciar uma violentíssima troca de socos, afinal de contas — o que é que você tá olhando? Quão destruída uma pessoa precisa estar para se sentir agredida por um par de olhos? Quantos tipos de violação se entrelaçam e se colocam sobre aquele corpo para que alguém entenda que racionalizar esse encontro exige xingamentos, socos, pontapés e, às vezes, coisas piores? Nos orgulhamos de uma insensibilidade perigosíssima, em especial entre os homens, o que nos faz viver como se fôssemos drones, aeronaves não tripuladas que conseguem gerar dor sem necessariamente se colocar em perigo. Ledo engano.

É bastante comum que elogios, aliás, quando dão a sorte de acontecerem, sejam precedidos ou antecedam frases como — eu não pago pau pra ninguém. Admiração, afeto e reconhecimento são entendidos como sinais de fraqueza, ao passo que agredir, silenciar, constranger e assediar são entendidos como força, quando são violações. O que justifica homens heterossexuais vociferando contra um homem transexual, que está exercendo sua força e reivindicando seu direito à paternidade, enquanto silenciam perante pais biológicos que abandonam os filhos que ajudaram a gerar? O que justifica que esses mesmos homens heterossexuais silenciem perante pais que não se dão ao trabalho nem mesmo de registrar os seus filhos? Essa não é uma ideia completamente irracional do que é ser um pai, do que é masculinidade e do que é ser um homem?

Aqui chegamos à pergunta central do livro que você tem em mãos: o que é ser um homem?

O que sobra de nós, se nos desconectarmos do que Olivia Gazalé chamou de mito da virilidade? Virilidade, essa palavra perigosa que não possui um equivalente feminino, que logo se torna inacessível a mulheres e a homens que não performam a masculinidade "normativa" e que coloca todos os outros seres humanos em condição de subgênero. Toda uma imposição contraditória nos dizendo que domamos feras, desposamos princesas, dominamos reinos, somos uma grande síntese ambulante do que significa poder, para, no fim, darmos de cara com uma pergunta inevitável: se o prêmio dado a quem bem desempenha essa performance é o poder (cada vez maior) e a glória, por que somos líderes isolados no ranking dos suicidas?

O mundo é seu, desde que você não abrace outro homem, não o beije, jamais ande de mãos dadas ou demonstre sensibilidade, desde que você não chore, não desabafe, não reconheça o quão difícil está uma situação que tem atravessado, desde que você não divida as tarefas domésticas, não diga eu te amo para os seus filhos, não tenha profundo respeito por todos que não são como você, desde que você cumpra uma lista extremamente longa de atributos — mas, acredite, você é livre e o mundo é seu. Esse belíssimo mundo de Marlboro, onde, ao vencedor, resta um câncer.

Está na hora de escutarmos, a nós mesmos e a elas.

Porque as lutas protagonizadas pelas mulheres no planeta, chamadas de feminismo, feminismo negro, feminismo interseccional ou o que mais tem me encantado recentemente, que é uma corrente chamada mulherismo afrikana, ofereceram e oferecem diariamente ao mundo, enquanto movimentos políticos, provocações bastante pertinentes que presenteiam os seres humanos, todos eles, com a oportunidade de exercer a vocação primeira que todos nós temos, que é justamente essa — ser humano. Mas é impossível realizar esse exercício se não nos desconectarmos com urgência deste paradoxo frustrante que convence homens ao redor do planeta que a eles pertence toda a realidade, desde que essa realidade seja observada por uma fechadura. E, pior, que toda experiência para além da limitadora fechadura pode e deve ser violada.

Um triste fractal, que reproduz de maneira cada vez mais sufocante o mito da caverna de Platão.

Dito isso, é uma honra anteceder o texto em que você vai entrar agora, poder dividir alguns pensamentos antes de provocações tão inadiáveis e inquietantes. JJ Bola, nas páginas seguintes, entrelaça memórias e estatísticas de maneira bastante cuidadosa, concentrado em abrir um portal que ilumine nossa trajetória ao que de fato pode significar ser um homem.

Emicida

INTRODUÇÃO
SEM MÁSCARA: O QUE SIGNIFICA SER UM HOMEM

Em uma ensolarada tarde de sábado durante minha adolescência, antes de termos selfies e telas sensíveis ao toque, antes da invenção do 4G, antes que as redes sociais dominassem todos os aspectos da nossa existência, eu estava andando pela vibrante, sempre tumultuada, multicultural e dinâmica Tottenham High Road, no norte de Londres. Eu estava no meio de um grupo grande, de mais ou menos dez dos meus "tios". Mas eles não eram meus tios de verdade. Eles não eram meus parentes, e sim homens da comunidade congolesa onde eu cresci. Aos sábados, como parte das suas obrigações religiosas, eles realizavam ações com jovens da comunidade, o que incluía uma banda de sopro e percussão e outras atividades culturais.

Depois de uma dessas sessões de sábado, fui convidado para comer na casa de um tio que vivia na região, não muito longe da rua principal. Eu não consegui conter minha emoção. Era um banquete inesperado, com *pondu*, ma-

kemba, *mikate* e *ntaba* (cozido, banana-da-terra, bolinhas de massa frita também conhecidas como *puff puff* e cabrito assado), um privilégio e tanto. Nós seguimos pela rua principal a caminho da tal casa, conversando bastante animados. Eu era claramente o único adolescente no grupo, vestindo calça de moletom, um agasalho com capuz e um tênis Nike Air Force 1. Meus tios, de maneira geral, estavam vestidos do jeito muito único que os homens congoleses se vestem: calça jeans de cintura alta, camisas coloridas apertadas, espremendo os corpos barrigudos e nada atléticos, um guarda-roupa de marcas famosas e estampas exóticas.

Enquanto a gente caminhava, comecei a me sentir bastante constrangido e cada vez mais apreensivo a respeito do grupo ao meu redor. Embora eu fosse muito familiarizado com Tottenham — pois passava muito tempo lá durante a adolescência e caminhava com frequência pelas mesmas ruas, ainda que com grupos e propósitos totalmente diferentes —, eu estava envergonhado de chamar tanta atenção, não só por estar em um grupo numeroso, mas por estar em um grupo numeroso formado por homens afrodescendentes vestidos de maneira excêntrica e falando alto em lingala. Também encontrei vários outros adolescentes pelo caminho. Alguns começaram a me encarar, apontando o dedo e até soltando uma risada ou outra à distância. Eu tinha certeza de que me reconheciam e que me esconder embaixo do capuz não ajudava em nada. Quer dizer, o capuz provavelmente produzia o efeito contrário.

Continuamos caminhando em grupo, agora separados em pares ou trios, cada núcleo com sua própria conversa. Eu andava com meu tio, de mãos dadas. Isso é perfeitamente normal na cultura congolesa e na cultura africana francófona, e mais tarde eu descobriria que também é bem comum em outras culturas ao redor do mundo. É uma maneira dos homens se unirem e demonstrarem afinidade, assim como carinho um pelo outro. Essa é a cultura na qual eu cresci. Tanto que muitas vezes vi meu pai conversando de mãos dadas com outros homens na comunidade, ou enquanto eles caminhavam. Era normal, e eu não precisava pensar duas vezes no assunto. No entanto, fora das normas culturais do meu pequeno grupo, andar de mãos dadas cobrava um preço insólito e constrangedor.

Para meu alívio, saímos da rua principal e andamos em direção ao conjunto habitacional onde morava aquele meu tio. Não era minha primeira vez na casa. Eu queria correr para lá sozinho, deixando meus tios para trás, e esperar por eles dentro da residência, mas o peso de explicar esse comportamento me perseguiria por muito mais tempo do que eu desejava ou precisava.

De qualquer forma, embora ainda estivesse andando de mãos dadas com meu tio, eu já respirava um pouco mais tranquilo e confiante. Nós não estávamos mais à vista de todas aquelas pessoas na rua, especialmente dos adolescentes, o que não durou muito. Quando chegamos perto do endereço final, com um senso renovado de vigor e euforia, fomos notados por um grupo de adolescentes que estava dando um tempo por ali. Eles nos olharam, os olhos grudados em mim e no tio com quem eu estava andando de mãos dadas. Todos aqueles rostos exibindo uma variedade de expressões negativas, uma miscelânca que ia da confusão ao nojo.

Eu já tinha visto esses caras no conjunto habitacional antes. Às vezes eu até trocava um sutil aceno de cabeça com eles, um daqueles cumprimentos que revelam respeito e aceitação dentro do grupo. Nesses conjuntos habitacionais — e, na verdade, em qualquer conjunto habitacional, comunidade, quebrada, gueto, beco, favela, seja lá qual termo se queira usar —, o respeito tem a ver com o quão forte você é, ou pelo menos com o quão forte os outros imaginam que você seja. Eu já participava desse jogo de aparências por tempo suficiente para merecer algum respeito. Eu era alto e tinha um porte atlético. De fato, tendo sido apresentado desde cedo às flexões e à musculação, eu parecia bastante intimidador. Mas todo esse respeito que conquistei se dissipou em uma velocidade absurda no exato momento em que fui visto andando de mãos dadas com outro homem.

Eu queria colocar meu capuz de volta e esconder o rosto, mas era tarde demais: eu já havia me tornado um alvo. Larguei rapidamente a mão do meu tio, fingindo que procurava alguma coisa no meu bolso, o que para ele não fez diferença nenhuma, era só outro gesto cotidiano.

"Ô, gigante", ouvi uma voz me chamando. Eu sabia que ele estava falando comigo e com mais ninguém. Eu olhei em volta. Seus olhos atravessaram meu peito. Senti minhas pernas tremendo, como se os joelhos fossem desabar no próximo passo. Ele estava com a cabeça coberta por um capuz e vestia um agasalho cinza da Nike que todo mundo invejava.

"Tá de mão dada, é isso?", ele disse, e a turma de apoio primeiro riu baixinho, para depois explodir em gargalhadas. Ainda lembro da dor, da pontada no meu coração. É a mesma sensação de quando a comida apimentada deixa de ser gostosa e entra na categoria de picante além do suportável, fazendo você implorar para sua boca voltar ao normal.

"Não", respondi, em um tom que indicava estar ofendido pela sugestão.

"*Alobi nini?*", perguntou meu tio, querendo saber que comoção era aquela, sem entender o que o sujeito estava falando.

"Nada", respondi com um desdém amargo, "ele estava me perguntando as horas".

Essa foi apenas uma entre as várias experiências da minha infância e adolescência que me fizeram questionar a minha noção de masculinidade, me levando a refletir sobre aquela pergunta que não somos autorizados a fazer em voz alta: o que de fato significa ser um homem? Por que dois homens de mãos dadas é algo que não chama a atenção de ninguém em uma parte do mundo, enquanto, em outra parte, as pessoas param e olham assustadas? Eu sempre me perguntei sobre as emoções e os sentimentos dos homens, ou melhor, sobre a suposta ausência deles. Eu fui um menino um tanto quanto emotivo. Eu chorava se estivesse triste ou incomodado, eu chorava se estivesse feliz, eu chorava de raiva. Eu me expressava com toda a intensidade possível, através da tristeza e também da alegria. Mas, com a idade, isso foi mudando aos poucos. Me tornei mais estoico, mais reprimido, mais reservado. Nunca deixava as outras pessoas descobrirem como eu me sentia de verdade, às vezes nem eu mesmo sabia. Existia um ódio, uma fúria queimando dentro de mim, que eu disfarçava chamando de crises de raiva, de pavio curto ou de incapacidade de controlar meu temperamento.

E então chegamos nos dias de hoje. Temos nossas definições sobre a masculinidade e sobre as normas culturais mais amplas em torno do assunto, mas o que elas significam para os meninos que agora se encaminham para o mundo adulto? O que elas querem dizer para os jovens e velhos que estão por aí se debatendo com uma sociedade cujo maior incentivo é para que eles mantenham essa raiva que destrói as vidas das mulheres, assim como as vidas de muitos homens? Sim, existem muitas questões urgentes a respeito dos homens e da masculinidade dos tempos modernos. Por que os homens são esmagadoramente apontados pelas estatísticas como os grandes responsáveis por crimes violentos, com destaque para os crimes relacionados à violência sexual, do assédio ao estupro? Por que o suicídio é a maior causa de morte entre homens com até quarenta e cinco anos de idade, superando as mortes por doenças ou acidentes? O que podemos fazer para mudar este cenário? Para compreendermos melhor a noção do que é ser homem e o que é a masculinidade, precisamos entender o patriarcado, que é a ideologia e a estrutura hierárquica que colocam os homens em uma posição de vantagem em relação às mulheres, garantindo a eles poder, privilégios, direitos e acesso a recursos em vários domínios e contextos, indo desde o núcleo familiar até o mundo corporativo e o ambiente de trabalho, e nos informando sobre os papéis que os homens e as mulheres devem assumir, ao mesmo tempo em que dita as realidades materiais de cada um. A expectativa de que as mulheres devem cozinhar e limpar enquanto os homens devem sustentar as famílias, por exemplo, é uma ideia rígida que pode não ter o mesmo peso e receptividade de cinquenta anos atrás. Mas isso quer dizer que vivemos em uma sociedade igualitária? Algumas pessoas podem argumentar que as mulheres se desvencilharam de limites tão estritos. E, com certeza, na superfície, a imagem da dona de casa não prevalece mais com tanta força no nosso imaginário. Mas, se as mulheres ainda ganham salários menores que os homens para fazerem o mesmo trabalho, quão longe conseguimos chegar? Como discuto ao longo do livro, o patriarcado é uma trama que se estende pela família, pelo sistema educacional e pela mídia de massa. Ele socializa os comportamentos, atitudes e ações dos homens, dizendo a eles como devem agir, se sentir e se comportar em todos os aspectos das suas vidas, especialmente em relação às mulheres, mas também em relação aos outros homens.

O sistema do patriarcado é algo que impacta as vidas de homens e mulheres, atuando desde o nascimento até a infância e seguindo pela vida adulta e por aí vai, de maneiras às vezes aparentemente simples, como as cores que devem ser usadas — o azul para os meninos e rosa para as meninas —, os tipos de roupas ou os brinquedos com os quais as crianças devem brincar. Toda esta ordenação tem uma repercussão significativa na maneira como a masculinidade é vista dentro da sociedade, e como os homens e as mulheres interagem entre si. Uma sociedade patriarcal é aquela em que os homens assumem as posições primordiais de poder na esfera pública, dominando o governo e a política, a economia e os negócios, a educação, o emprego e a religião, e estendendo esse domínio para um nível privado e interpessoal, no lar, dentro dos relacionamentos, e até nas amizades. O patriarcado protege e prioriza os direitos dos homens acima dos direitos das mulheres.

O patriarcado não é um termo ou um sistema muito conhecido fora da academia, fora das salas de aula ou dos livros didáticos. Nem é usado com muita frequência nas conversas normais do dia a dia, embora as discussões sobre feminismo tenham conquistado protagonismo nos últimos anos, trazendo mais exposição à palavra. No entanto, assim que uma discussão começa, não é difícil para as pessoas entenderem a noção de patriarcado, mesmo que não tenham pensado nela antes, porque é um assunto que repercute diretamente nas nossas vidas cotidianas. As maneiras como isso acontece são o foco deste livro.

Eu não ouvi falar de patriarcado durante minha infância e adolescência. Não ouvia na escola, não escutei muito na universidade — pelo menos não de um jeito que me chamasse atenção —, não escutei na minha região ou no meu bairro, na minha quadra, entre meus amigos e amigas, na minha família, nem entre meus pais, tias, tios ou irmãos. A palavra patriarcado não era parte da minha linguagem diária, o que é uma pena, porque teria me preparado para uma série de situações pelo caminho. No entanto, o patriarcado sem dúvida permeou todos os aspectos da minha existência e influenciou significativamente a maneira como eu me via enquanto garoto e, depois, como homem, assim como influenciou a perspectiva pela qual eu enxergava os outros homens e mulheres. Eu me lembro de ser confrontado com as ideias de dominância masculina em diversas ocasiões. Por exemplo, quando ouvi pela primeira vez a música *Keep ya head up*, de Tupac Shakur, com treze ou quatorze anos, no fim dos anos 90 e início dos anos 2000. Os versos a seguir me abalaram de verdade:

> *You know what makes me unhappy?*
> *When brothers make babies, and leave a young mother to be a pappy.*
> *And since we all came from a woman,*
> *Got our name from a woman and our game from a woman,*
> *I wonder why we take from our women, why we rape our women,*
> *Do we hate our women?*
> *I think it's time to kill for our women, time to heal our women,*
> *Be real to our women.*
> *And if we don't, we'll have a race of babies that will hate the ladies*
> *That make the babies. And since a man can't make one, he has no right*
> *To tell a woman when and where to create one.*

> (Sabe o que me deixa infeliz?
> Quando os manos fazem filhos e largam uma jovem mãe para ela brincar de papai.
> E, já que nós todos nascemos de uma mulher,

Ganhamos nossos nomes de uma mulher, e a nossa
vida de uma mulher,
Eu me pergunto por que roubamos das nossas
mulheres, por que estupramos nossas mulheres,
Nós odiamos nossas mulheres?
Acho que é hora de matar por nossas mulheres,
hora de curar nossas mulheres,
ser verdadeiro com as nossas mulheres.
Se não for assim, nós vamos ter uma geração de
filhos que vai odiar as mulheres
Que vão lá fazer os filhos. E, como um cara não
pode ter um filho, ele não tem o direito
De dizer a uma mulher quando e onde ela deve criar
um.)

 Esta letra é um comentário sobre alguns aspectos da desigualdade de gênero, sobre homens que abandonam suas parceiras grávidas, homens que abusam das mulheres, inclusive através de estupros, é uma letra que chega a perguntar se "odiamos as nossas mulheres". Ouvir essa mensagem específica vinda de um gangsta rapper que era solidamente considerado um homem viril, a epítome do que um homem deveria ser, teve um efeito profundo sobre o meu pensamento enquanto adolescente.

 Mas só depois, quando eu eventualmente consegui compreender o termo "patriarcado", é que eu entendi e decifrei o sentido de muitas das minhas dúvidas juvenis. Minha curiosidade com letras como essa, por exemplo, que mais à frente acabou se inserindo no contexto mais amplo das discussões sobre os direitos reprodutivos das mulheres. É um tipo de dúvida que, ainda hoje, é recorrente entre garotos em fase de crescimento. De um jeito que, como tenho notado, por meio do meu trabalho com adolescentes, e também com homens adultos, neste debate sobre o que é ser um homem, parece que ainda estamos navegando as mesmas complexidades e questões de décadas atrás, com o adicional de termos agora novos obstáculos provocados pela emergência dos tempos modernos.

De fato, tenho visto muitos jovens e indivíduos adultos sofrendo em silêncio com questões como ansiedade e depressão, angústia e traumas emocionais, aflições que são respondidas com agressões, nos outros e em si mesmos, tudo porque, repetidamente, em algum ponto do caminho, eles ouviram dizer que um homem precisa ser forte, que um homem precisa ser duro, estoico, lógico, uma espécie de soldado no meio de conflitos extremos, pois, afinal, um homem jamais pode sucumbir à emoção ou à vulnerabilidade, ele sempre deve demonstrar indiferença a todo tipo de dor ou sofrimento. E não são casos isolados, eu mesmo precisei aprender com as minhas experiências e com as estratégias que desenvolvi para poder lidar com as cicatrizes em torno da minha masculinidade e da minha virilidade, com as dúvidas que enfrentei na infância e na adolescência, com as dúvidas que surgem em mim enquanto homem adulto e com o modo como encaro essas incertezas, muitas vezes sob a influência bastante estereotípica da repressão masculina.

Este é um dos motivos pelos quais decidi usar o subtítulo *A masculinidade desmascarada*. Porque os homens são ensinados a usar uma máscara, uma fachada que, desde muito cedo, encobre como estamos nos sentindo de verdade, que oblitera nossas questões internas. E porque a sociedade é em geral patriarcal, no sentido de favorecer os homens para que eles ocupem posições privilegiadas, ela faz parecer que os homens não experimentam qualquer tipo de sofrimento íntimo. É como uma faca de dois gumes, uma panaceia venenosa. Ou seja, em outras palavras, o sistema que coloca os homens em vantagem na sociedade é essencialmente o mesmo que os limita, inibindo o crescimento pessoal e, no fim das contas, levando ao colapso dos indivíduos. O outro motivo é uma referência à música *Mask off*, do rapper americano Future. Essa música é bastante hipermaterialista, violenta e misógina, com bravatas e referências a drogas e dinheiro, à violência das gangues, e com termos depreciativos para as mulheres (puta, etc.), tudo por cima de um sample melodioso de uma flauta. Em algum momento, descobri que esse sample foi extraído de uma música original de Tommy Butler chamada *Prison song* ("Canção da prisão"), escrita para a peça *Selma*. Ela explora os temas do racismo, da brutalidade policial, do amor e da liberdade durante a luta pelos direitos civis. Esse contraste — duas mensagens muito diferentes, separadas pelo tempo, existindo em uma mesma música — é uma representação bastante simbólica de como a virilidade e a masculinidade mudou ao longo dos anos, e de como essa questão foi tão profundamente influenciada pela música popular e pela mídia de massa.

    Com este livro, meu objetivo é desmascarar a ilusão de uma masculinidade rígida e limitada que torna os homens de qualquer idade incapazes de lidar com suas próprias emoções, transformando esses indivíduos em agressores e manipuladores, de maneira intencional ou não, e, com isso, oferecer soluções para que os homens possam começar não apenas a curar seus traumas pessoais, a desaprender o que foi ensinado a eles como algo absoluto, mas também a promover mudanças que permitam à próxima geração viver uma vida na plenitude, na fluidez e na integridade que se dá a partir da compreensão do que significa ser um homem.

CAPÍTULO 1
HOMENS DE VERDADE: MITOS DA MASCULINIDADE

Se um homem enxerga a masculinidade como a sua espinha dorsal, remover essa espinha não vai fazer nenhum sentido para ele — Rhael.

Existem vários mitos sobre a masculinidade e esses mitos são passados de geração em geração como verdades absolutas. Eles nos são ensinados desde muito cedo, enfrentando bem poucos obstáculos pelo caminho, e qualquer garoto ou homem que por acaso não se encaixe nos estereótipos é virtualmente exilado do clã masculino. É como se ser um homem fosse uma competição para a qual todos os machos estão tentando se classificar: a primeira divisão é aquele campeonato de elite reservado para os mais aptos e habilidosos enquanto os outros concorrentes são obrigados a se contentar com as ligas ou subdivisões menores, entrando no contingente de times semiprofissionais e jogos amadores, quando não se enquadram entre aqueles que sequer têm a chance de se inscrever no torneio. Ou até pior: a ideia do que significa ser um homem e as noções de masculinidade que surgem com ela talvez se pareçam muito mais com um esporte no qual as regras mudam o tempo inteiro, a depender do local onde é praticado. Vamos fazer um pequeno exercício de imaginação. Imagine que, se você jogar futebol na Inglaterra, as regras colocam onze em cada time e você chuta a bola com os pés. Mas, nos Estados Unidos, quando você jogar futebol (o nosso, não o deles), você pode usar tanto os pés quanto as mãos. Atravesse o globo e chegue ao Brasil, onde você só pode tocar na bola com o pé esquerdo, as traves são menores e cada time tem vinte e quatro jogadores em campo. Na Índia, a bola não é exatamente uma bola, e, sim, uma melancia que você chuta para qualquer lado, e, na Nigéria, você só pode fazer gol de cabeça.

A condição do sujeito na qualidade de homem, bem como a masculinidade associada a esse ideal, não é, portanto, uma entidade fixa. Não é um bloco disforme que se encaixa com perfeição em um buraco quadrado, bem no meio de um mundo quadrado. Ela está sempre mudando, é fluida e, mais importante, ela é e pode ser tudo o que você quiser que ela seja. No entanto, enquanto existirem crenças rígidas e estereotipadas sobre a masculinidade, e enquanto essas crenças não forem confrontadas, os homens serão frequentemente incapazes de aderir a uma masculinidade que se situe fora do padrão. Que crenças são essas? É uma lista infinita, até porque a prevalência de alguns mitos depende da parte do mundo em que você está. Aqui, esbocei apenas nove dos mitos mais recorrentes sobre a masculinidade:

HOMEM DE VERDADE

Quantas vezes você ouviu uma frase do tipo "um homem de verdade toma conta dos seus filhos" ou "um homem de verdade não trai sua parceira" ou "um homem de verdade é quem paga o jantar" ou qualquer coisa que começa com "um homem de verdade" (ou "homens de verdade") e depois continua com uma série de supostos requisitos para uma atividade específica? Não existe "homem de verdade". Essa expressão, em sua própria estrutura, é 100% baseada em ideias patriarcais que somente reforçam a expectativa sobre como os homens devem ser e agir. E, na maioria dos casos, o contexto no qual ela é usada muitas vezes não diz quase nada de positivo sobre a masculinidade ou sobre ser um homem. Vamos analisar, por exemplo, "um homem de verdade toma conta dos seus filhos". Isso é algo que qualquer pessoa interessada em construir uma família *deve fazer*, independente do seu gênero. O raciocínio de que apenas "um homem de verdade" toma conta dos seus filhos sugere de maneira implícita que o resto dos homens, fora uma exceção ou outra, não toma conta dos seus filhos — e então, no fundo, o que esta frase diz a respeito dos homens? Sendo assim, a expressão "homem de verdade" só nos leva de volta ao campeonato de elite que os homens querem disputar, onde apenas os "homens de verdade" participam dos jogos. A própria ideia dos "homens de verdade" assumindo a posição de provedores ou de chefes de família também é baseada em circunstâncias financeiras ou materiais, e é incapaz de negociar com o problema da exclusão e das precariedades sociais. Ou seja, esses estereótipos funcionam para reforçar noções limitadas do que um homem pode e não pode ser: eles são usados em múltiplos contextos e podem exercer acentuada pressão sobre os homens.

OS HOMENS SÃO PURO LIXO

Nos últimos anos, essa frase viralizou na internet, por meio das redes sociais, dando início a uma conversa muito necessária a respeito do privilégio masculino e da desigualdade de gênero, destacando as vantagens sistemáticas que o patriarcado concede aos homens. E não tem a ver (apenas) com relacionamentos ou com encontros amorosos, embora muitas vezes seja reduzido a este binômio. Alguns rebatem dizendo "escolha homens melhores" ou negando a validade da frase com um infame "nem todos os homens são assim!". O elemento do "lixo" é compreensivelmente um gatilho para uma postura defensiva, cuja origem em geral se dá na equivocada percepção de que esse é um ataque pessoal ao indivíduo, e não um comentário a respeito da opressão coletiva sobre as mulheres. No entanto, essa postura também ocorre porque as pessoas com frequência apelam para hostilidades quando não estão prontas para reconhecer a dor que causaram na vida de alguém. Em muitos casos, a condição de "boy lixo" é apenas uma alusão ao abuso de privilégios por parte dos homens, o que ocorre todos os dias na sociedade, independente do grau de consciência dos homens a respeito. Eu também fui pego de surpresa quando ouvi essa frase pela primeira vez: ela soou amarga e até mesmo raivosa, mas, quando a analisei para além da minha reação inicial, ou da emoção visceral que a frase me provocou, entendi que ela nos diz muito mais sobre questões sociais em torno do gênero do que sobre um homem em particular.

O CARA LEGAL/O CARA BONZINHO

Essas expressões perpetuam os direitos exclusivos dos homens em um nível insidioso. Embora, na superfície, elas pareçam evocar uma imagem positiva do homem, a ideia de um cara legal ou de um cara bonzinho implicitamente comunica que ele é seguro e que, portanto, merece ou tem direito à atenção, ao tempo e ao esforço das mulheres. Essas mulheres devem gostar de você porque você é um cara legal, e, se elas não gostarem, a culpa recai sem piedade sobre elas. Aliás, quando os homens chamam a si mesmos de caras legais, eles também estão sutilmente sugerindo que os outros homens são tão ruins que é preciso se diferenciar da multidão emporcalhada, uma estratégia para dissimular o fato de que todas essas figuras estão apenas orbitando ao redor do privilégio masculino que eles têm em comum.

SEJA HOMEM

Essa expressão é muitas vezes usada como uma ferramenta de silenciamento emocional, em especial com meninos durante a infância. Pense no seguinte cenário: um garoto está brincando na rua, cai no chão, machuca o joelho e começa a chorar. Ele corre para seus pais, que — não percebendo o efeito danoso do discurso — falam a ele para "ser homem", o que quase sempre é apenas o começo de uma série de afirmações sobre como os meninos devem ser fortes e daí por diante. Os garotos logo aprendem que expressar sentimentos, ainda mais com demonstrações de vulnerabilidade, como o choro, são fraquezas. E eles internalizam essa censura, de um modo que, quando fazem a transição da infância para a adolescência e, depois, para a vida adulta, eles reprimem internamente as emoções e nunca se dão conta do tamanho da violência.

"CLARAMENTE GAY"

Essa definição é quase que exclusivamente usada quando os homens dividem algum tipo de intimidade (não sexual), expressando vínculos ou sentimentos de uma maneira que vai além das expectativas hipermasculinas. Pode ser algo simples, como dizer "eu te amo". Ou dois homens se abraçando ou até dando as mãos. Seja qual for o tipo de contato, quando ele acontece entre dois homens, provocando alguma proximidade, é comum que a reação ganhe contornos de censura. Como também é o caso dos homens dizendo, pelos mesmos motivos acima, coisas como "sem veadagem nenhuma" ou "sem frescura", ao invés de assumirem a postura "claramente gay". Quer dizer, é muito possível você encontrar um homem falando para outro: "você está bem bonito hoje, sem veadagem nenhuma", o que é um comentário insidiosamente homofóbico. Apesar de ser usado quase sempre em tom de brincadeira, ele ainda assim perpetua uma expressão enraizada e tóxica da masculinidade: de que, se os homens gostam uns dos outros, se eles cumprimentam uns aos outros, ou se demonstram carinho uns pelos outros, isso precisa ser resguardado por uma declaração adicional que reafirma o quanto eles são héteros.

HOMEM NÃO CHORA

Praticamente uma extensão do "seja homem", que os meninos carregam dentro de si da infância para a vida adulta. Eu me lembro muito bem da primeira vez em que vi meu pai chorar, quando eu ainda era uma criança. A cena me deixou em choque. Passei anos e anos escutando o quanto eu precisava ser forte e não chorar e, de repente, a pessoa que eu enxergava como fonte definitiva de força estava aos prantos na minha frente. A partir daí, ao invés de me dar conta do quão normal é chorar, eu segui em direção à adolescência me esforçando o máximo possível para ter certeza de que era forte o suficiente, ou pelo menos mais forte do que meu pai, para que ninguém me visse chorando. Ninguém iria conhecer minhas fraquezas. E eu levei muito tempo para desaprender esse raciocínio. Hoje em dia, eu choro com abundância e em qualquer lugar: depois de uma peça de teatro, durante um show, depois de perder um jogo de basquete ou quando estou sozinho. Eu até aproveito um choro sem-vergonha ao cortar cebolas na cozinha para desaguar todos os meus choros de uma vez só. No entanto, depois de várias conversas, é impressionante notar como muitos dos meus amigos adultos ainda não se sentem à vontade com esse nível de vulnerabilidade. Eu tenho amigos que dizem que não choram há anos, ou que nem mesmo choraram durante momentos trágicos da vida — quando um ente querido morreu, ou no fim de um relacionamento, e por aí vai. Sendo que o choro sequer é reservado apenas para momentos negativos: ele pode ser uma expressão de lamento e de tristeza, mas também pode expressar com profundidade uma alegria ou uma felicidade extraordinária — como não amar um homem que chora no dia do seu casamento? —, e as duas perspectivas são perfeitamente válidas.

OS HOMENS SÃO MAIS FORTES QUE AS MULHERES

Uma vez assisti um vídeo no YouTube chamado *Labour pain simulator on 2 men* ("Simulador da dor do parto em dois homens"), no qual dois caras vão a um médico para participar de uma experiência com eletrodos que simulam a dor do parto durante uma hora. No começo, eles estão bastante serenos e um deles chega a dizer: "como vocês sabem, as mulheres são muito exageradas". Já no final do processo, ambos estão contorcidos de dor, totalmente incapazes de aguentar as falsas contrações. Um dos caras chama a mãe de super-heroína e da maneira mais hilariante possível pede desculpas por tê-la submetida a uma dor tão excruciante muitos anos atrás. Este é um bom exemplo de como as nossas perspectivas sobre a força, tanto física quanto emocional, são muito frequentemente relacionadas ao gênero. É claro que existem diferenças biológicas entre homens e mulheres, mas as abordagens absolutistas sobre o que essas diferenças significam e como elas se manifestam no mundo real são muitas vezes equivocadas e inflexíveis. Os homens não são programados pela natureza para serem mais fortes do que as mulheres. A força é uma característica heterogênea, muitas vezes baseada na situação, e não em quem consegue fazer mais flexões, levantar o maior peso, bater com mais força ou receber mais socos na cabeça. Até porque, sem dúvida nenhuma, pode-se argumentar que a maior força de todas é a emocional, e não a física: ter a resiliência para suportar e superar, a capacidade de se recuperar rapidamente das adversidades. Se nossa definição do que é a força seguisse por este caminho, será que não poderíamos redefinir quem é mais forte?

OS HOMENS SÃO LÓGICOS (E AS MULHERES SÃO EMOCIONAIS)

Essa frase está quase sempre enraizada no desejo de remover os homens da sua vulnerabilidade emocional e da sua empatia pelos outros. Os homens são vistos como o gênero mais lógico porque eles supostamente pensam através das suas ações e análises, julgando cada situação com base no melhor resultado possível, enquanto as mulheres, de acordo com o estereótipo, julgam com base nos próprios sentimentos. O que em geral é deixado de lado nesta conversa a respeito da "lógica masculina", no entanto, é a existência de toda uma variedade de emoções, tais como raiva ou fúria. E, bom, quando os casos de violência doméstica aumentam em 40% porque uma seleção de futebol perdeu uma competição internacional, essas respostas certamente não são lá as mais lógicas do mundo, não é?

OS HOMENS TÊM MAIS LIBIDO/OS HOMENS PENSAM MAIS EM SEXO

Existe um dito popular atribuído a Oscar Wilde, poeta e dramaturgo irlandês do século 19: "Tudo no mundo tem a ver com sexo, exceto o sexo, o sexo tem a ver com poder". Eu ouvi essa citação pela primeira vez na adolescência, e ela me impactou bastante. Ela divide a idealizada psique masculina em duas partes. A primeira — "tudo tem a ver com sexo, exceto o sexo" — sustenta que as pessoas agem ou se comportam de uma maneira que aumenta a probabilidade delas atraírem um parceiro ou parceira sexual. E a segunda parte — "o sexo tem a ver com poder" — reflete como o sexo em si é muitas vezes visto e realizado como um meio de se obter dominação sobre outra pessoa. É por isso que a ideia dos homens fazendo sexo com várias mulheres é muitas vezes festejada na sociedade e os homens são graciosamente rotulados com epítetos como "garanhão", "destruidor de corações" ou "conquistador" enquanto as mulheres são chamadas de "vadias", "vagabas", "vacas", "putas", "cadelas", "promíscuas" e daí por diante, uma lista interminável. Na verdade, homens e mulheres possuem em média uma libido muito parecida. Além disso, existem muitas mulheres que se sentem realizadas por terem múltiplas conexões sexuais e amorosas, com o contrário também sendo verdadeiro, isto é, existem muitos homens que não se sentem confortáveis com a constante troca de parceiros ou parceiras.

MENÇÃO HONROSA: "MENINOS SÃO ASSIM MESMO"

Essa é talvez uma das expressões de maior impacto, porque ela é usada desde muito cedo e coloca os garotos em um caminho no qual, em determinado momento, quando eles chegarem à vida adulta, os padrões de comportamento destrutivo já terão sido normalizados. Na infância, essa desculpa de que os "meninos são assim mesmo" é muitas vezes utilizada para justificar os tipos de comportamento que são superficialmente associados à masculinidade, os tipos de comportamento que não seriam aceitos em uma menina. Mas a frase pode ser usada em uma variedade grande de situações, enquadrando desde meninos brincando de luta — um fenômeno que acontece quase que exclusivamente com os garotos, muitas vezes tendo início nos pátios das escolas —, até homens que passam cantadas no meio da rua ou praticam algum tipo de assédio sexual. "Meninos são assim mesmo" retira a responsabilidade da ação e ensina aos meninos que certos comportamentos podem ser aceitáveis desde que sejam um resultado da sua masculinidade, o que é ainda mais evidente quando pensamos que não existe um equivalente do tipo "meninas são assim mesmo".

> *Uma coisa que eu não gosto nos papéis de gênero é que os homens não podem chorar. A gente pode ligar para nossas amigas e conversar por um tempão, e contar sobre isso ou aquilo que aconteceu, entende, essa é a nossa terapia. As amigas são a nossa terapia, a gente construiu isso ao longo do tempo. Mas os homens não têm essa relação, porque os amigos deles vão falar coisas do tipo: "cara, resolve sua vida, não fica se fazendo de lixo" ou então "supera". Acho muito importante que os homens consigam se expressar — Zeze.*

Repito: entre os muitos mitos da masculinidade, esses foram apenas alguns exemplos de pensamentos pobres e limitados, que, na verdade, são usados para reforçar uma perspectiva estereotípica do que um homem deve e não deve ser. A prevalência do problema varia e difere a depender da cultura, do lugar e da época, o que só comprova que a masculinidade não é fixa. Sem dúvida, expressões externalizadas de masculinidade, incluindo os seus estereótipos, não existem em um vácuo, e sim dentro da sociedade. E, no momento em que nós, homens, nos tornamos conscientes de algumas dessas expectativas impostas, já passamos muitos anos vivendo de acordo com elas de uma maneira ou de outra, por meio de coisas que nos foram apresentadas como "normais", de um jeito que torna toda essa ordenação muito mais difícil de desaprender.

A MASCULINIDADE COMO PERFORMANCE

Nos tempos modernos, debates ferozes estão ocorrendo em torno da masculinidade, da feminilidade e do binarismo de gênero — algo que vamos discutir no capítulo 6. Algumas pessoas argumentam que a masculinidade é tóxica, frágil e está em crise, enquanto outras sustentam que a discussão cada vez maior em torno do assunto é a grande prova de que a masculinidade deve ser protegida a todo custo daqueles que estão tentando destruí-la. De todo modo, antes de avançarmos na conversa, é importante apontar que, apesar da masculinidade e da feminilidade, como são compreendidas tradicionalmente, serem traços ou características que exibimos com base em nosso sexo, essa classificação não coincide com a definição dos sexos biológicos masculino e feminino.

Para Judith Butler, "o gênero é uma identidade tenuemente construída com o tempo — por meio de uma repetição estilizada de atos",[1] destacando a sua natureza performática. Enquanto o gênero não é a mesma coisa que masculinidade e feminilidade, *papéis* de gênero tendem a se encaixar em papéis masculinos e femininos. Sob esta perspectiva, muitos já argumentaram que a ideia do gênero como algo performático pode ser estendida à masculinidade e à feminilidade, e que, no limite, nós desempenhamos papéis e atos "masculinos" e "femininos" específicos, continuamente validando o nosso senso de gênero: supondo, por exemplo, que sermos fortes nos qualifica como homens e que a fraqueza nos qualifica como mulheres.

Assim, percebemos que muitas coisas que nos dizem sobre virilidade e masculinidade são, na verdade, perigosas para nós, enquanto homens e meninos, e para as pessoas que nos são próximas, incluindo as mulheres — uma reflexão que vai ser desenvolvida em mais detalhes ao longo do livro. Quais são então os exemplos disponíveis para entendermos como a masculinidade ganha diferentes contornos de acordo com o lugar e a cultura no mundo? Bom, acho que desde o início já estabelecemos que lugares como Nigéria, Uganda e Índia, além do Congo, como deixei claro no meu relato no capítulo de introdução, são lugares onde os homens se dão as mãos como sinal de fraternidade, amizade e afeto. Mas são muitos outros exemplos no decorrer da história, como as sociedades amplamente matriarcais e matrilineares, no sentido de sociedades onde as mulheres ocupam posições de poder e não são consideradas inferiores ou mais fracas que os homens, com a linhagem e a herança, nestes contextos, se demarcando a partir da população feminina — o que não quer dizer que essas sociedades tenham existido da mesma maneira que uma sociedade

---

[1] BUTLER, Judith. **Gender trouble: feminism and the subversion of identity**. Abingdon-on-Thames: Routledge, 1990.

patriarcal ou dominada pelos homens existe em termos de estruturas opressoras: quer dizer, na verdade, que as suas mulheres estavam em posições de poder e não representavam um grupo marginalizado.

Neste sentido, a autora e pesquisadora feminista Heide Göttner-Abendroth propõe que as sociedades matriarcais não devem ser vistas como espelhos das sociedades patriarcais, pois elas não têm a mesma definição hierárquica presente no patriarcado. As sociedades matriarcais são socialmente igualitárias, economicamente equilibradas e politicamente baseadas em decisões colegiadas (democráticas). Elas foram criadas por mulheres e fundadas sobre valores maternais.[2]

Ainda encontramos sociedades matrilineares pelo mundo. Por exemplo, o grupo étnico Minangkabau, a maior sociedade matrilinear que resta no planeta, cujos integrantes se espalham pela Sumatra Ocidental, na Indonésia, e preservam uma cultura na qual a terra e a propriedade são herdadas pelas filhas, as crianças levam os nomes das mães e um homem é considerado um hóspede na casa da sua esposa. Essa é uma estrutura social e política complexa e distinta, onde a função da mulher é fortalecida e empoderada, ao invés de ser reprimida como em muitas outras sociedades humanas.[3]

Hoje, no entanto, como ainda estamos presos à ideia de que cor-de-rosa é para meninas e que azul é para meninos (basta pensar no quão populares são as postagens com revelação do sexo dos bebês), pode ser difícil imaginar que coisas como sapatos de salto alto e maquiagem — domínios tidos na atualidade como "femininos" — foram em

---

[2] ABENDROTH-GÖTTNER, Heide. **Matriarchal societies: studies on indigenous cultures across the globe**. Oxford: Peter Lang Publishing, 2012.

[3] SANKARI, Rathina. World's largest matrilineal society. **BBC**. 22 de setembro de 2016. Disponível em: https://bbc.in/2WeoF8A.

alguns casos criados originalmente para os homens, ou que pelo menos eram coisas que agradavam a eles. No início do século 17, os sapatos de salto alto foram levados da Pérsia à Europa e os homens costumavam usá-los como demonstração de seu status social mais elevado. Os sapatos eram caros e, assim, mantê-los nos pés era uma maneira de exibir riqueza material e poder financeiro. Os saltos também faziam os homens parecerem mais altivos e atléticos, e temos inclusive um famoso retrato do rei Luís 14, da França, em toda sua audácia exibindo suas calças colantes e seus sapatos brancos com espessos saltos de cerca de sete centímetros.

Daí que, no final das contas, em resumo, a masculinidade é uma performance, ou seja, ela é representada de uma maneira que reforça a visão do que é amplamente considerado normal para os que nasceram homens. Isso que não quer dizer que a masculinidade seja em si mesma destrutiva — ainda que exista, é claro, a questão da masculinidade tóxica ou hegemônica, um tema que também discuto mais à frente neste livro. Sobre este tópico, R. W. Connell argumenta que a masculinidade hegemônica é, sim, perigosa, porque "legitima a poderosa posição dominante do homem na sociedade e justifica a subordinação das mulheres e da ordinária população masculina, assim como delibera sobre outras formas marginalizadas do que significa ser um homem".[4] Quando consideramos que esse é um ideal que foi historicamente operado de uma maneira diferente, em uma chave fluida e transformadora através de várias culturas, começamos a ver como essa não é uma força estável.

A masculinidade não é o patriarcado. E, considerando que o patriarcado é uma estrutura opressora que impõe a dominância de um gênero sobre o outro, precisamos imaginar e manifestar uma masculinidade que não dependa

---

4   CONNELL, R. W. **Masculinities**. Oakland: University of California Press, 2005.

do patriarcado para existir, uma masculinidade que enxergue a necessidade da igualdade de gênero não apenas como ferramenta de sobrevivência, e sim como um impulso para prosperidade.

> *É por isso que eu gosto de falar em masculinidades ao invés de masculinidade, porque ela existe em tantas formas diferentes. Nós temos uma ideia de masculinidade e ela acaba sendo tóxica, ou um estereótipo negativo, enquanto pensar em masculinidades permite que qualquer pessoa, seja homem, seja mulher, seja uma pessoa com inconformidade de gênero, explore as suas próprias masculinidades* — Tom.

CAPÍTULO 2
SÍMBOLOS DE GRUPO E ORAÇÃO: VIOLÊNCIA MASCULINA, AGRESSÃO E SAÚDE MENTAL

A violência e a agressividade masculina têm um impacto profundo nas nossas vidas, nas vidas de pessoas próximas e até nas vidas de pessoas que sequer conhecemos. Esse impacto varia de intensidade, mas a energia tóxica do conjunto muitas vezes borbulha debaixo da superfície de inúmeras interações e contextos. Nós com certeza sentimos o desdobramento do problema nas famílias, nos ambientes de trabalho, nas comunidades e nos mais variados estratos da sociedade. No entanto, apesar de ter uma configuração onipresente, muito da violência masculina acontece sem ser vista, em especial nos seus elementos mais insidiosos. Com frequência, a violência masculina é descrita como sendo uma característica natural, ou até mesmo uma segunda natureza dos homens, uma concepção que, por certo, se deve a uma falta de discussão sobre as causas mais profundas da violência masculina. Pelo contrário, ao invés de um debate sério, estamos acostumados a ouvir discursos repetitivos sobre a biologia e a testosterona, argumentos que tendem a descartar um fator vital, que é a socialização. E não dá para negar: sem dúvida nenhuma, a violência e a agressividade masculina são fatores de forte influência na saúde mental dos homens. Neste assunto, ainda estamos à espera de ações de alcance mais abrangente, principalmente entre os jovens. Também nos faltam estratégias para os homens mais velhos, para que eles desaprendam atitudes e comportamentos tóxicos e misóginos. É um cenário que precisa de atenção, até porque ações e reflexões sobre um tema tão espinhoso têm o poder de promover mudanças duradouras no nível individual, o que pode, aos poucos, em algum momento futuro, causar uma transformação de nível coletivo e social.

No momento, quando olhamos para os números, vemos que a violência masculina é realmente um campo minado, reunindo desde delitos mais leves a assassinatos, e, no caso de violências e agressões sexuais, respondendo pelos crimes de estupro, assédio e também de abuso, que pode não ser físico, e sim psicológico. Na prática, o que temos é o seguinte: de acordo com uma pesquisa sobre crimes violentos e ofensas sexuais, realizada pela agência britânica de estatísticas, como parte de uma investigação maior sobre os crimes praticados na Inglaterra e no País de Gales (CSEW, na sigla em inglês, datada de março de 2017), os homens são responsáveis por 78% dos incidentes envolvendo algum tipo de violência, o que equivale a dizer que aproximadamente quatro em cada cinco crimes violentos são cometidos por homens. Essa pesquisa também revelou que apenas 43% dos incidentes violentos são denunciados à polícia, uma significativa redução em relação ao ano anterior, quando 52% dos casos foram denunciados. Na pesquisa seguinte, de março de 2018, a agência britânica de estatísticas ainda registrou um total de 1.259.000 casos de crimes violentos na região.

Esses dados também revelam que os homens têm mais chances de serem vítimas de crimes violentos, com um percentual levemente maior do que o das mulheres, sendo que, em relação a essas ocorrências, 74% são casos de assassinato. As mulheres, por outro lado, têm uma probabilidade maior de sofrerem agressões pessoais ou agressões sem sequelas físicas, com os números chegando a 53% e 57% dos casos, respectivamente. As mulheres também correm um risco maior de sofrerem atos de violência dentro da própria casa, o que muitas vezes é registrado como violência doméstica, abuso doméstico ou violência íntima, e não como "crimes violentos", gerando diferentes estatísticas a depender da categorização.[1]

De todo modo, independente do rótulo, as estatísticas de violência doméstica são assustadoramente chocantes. Entre março de 2016 e março de 2017, ainda segundo a agência britânica de estatísticas, quase dois milhões de pessoas (1.200.000 mulheres e 713.000 homens) sofreram algum tipo de violência doméstica.[2] Toda semana, somente na Inglaterra, duas mulheres são mortas em casos de violência doméstica cometidos por parceiros ou ex-parceiros. No Reino Unido como um todo, em 2016, nove em cada dez mulheres assassinadas foram mortas por alguém que elas conheciam. Não à toa, uma pesquisa publicada pela agência das Nações Unidas de combate às drogas e prevenção ao crime apontou que a própria casa é o lugar mais perigoso para uma mulher[3] — o que é, sem dúvida, aterrorizante, já que, para muitas pessoas, é inconcebível que o

---

1 Sobre o assunto, verificar: https://bit.ly/2Wb7qoE.
2 Public Leaders Network. One woman dead every three days: domestic abuse in numbers. **The Guardian**. 14 de dezembro de 2017. Disponível em: https://bit.ly/35HucHB.
3 UNODC. **Home, the most dangerous place for women, with majority of female homicide victims worldwide killed by partners or family, UNODC study says**. Disponível em: https://bit.ly/2xGfRPf.

lugar onde você corre mais risco de sofrer ataques e abusos, inclusive com a ameaça de assassinato no horizonte, seja a sua própria casa, um lugar que muitos consideram como um porto seguro e que se torna ainda mais intimidador quando pensamos na alta probabilidade de que o crime seja cometido pelas mãos de uma pessoa conhecida.

É uma situação realmente preocupante. E quero reforçar a informação: estatísticas[4] revelam que os homens cometem a esmagadora maioria dos crimes violentos, com os números chegando a quase 80% do total. Para piorar, menos da metade desses crimes são denunciados à polícia. Os dados ainda mostram que os homens têm uma chance maior de se tornarem vítimas de crimes violentos. E, portanto, enquanto os homens são os que mais cometem crimes, eles também são, a depender da categoria do delito, os que mais convivem com a violência. Mulheres, por outro lado, têm uma probabilidade muito maior de serem vítimas de violência doméstica, sofrendo mais nas mãos dos parceiros do que nas mãos de desconhecidos, em um quadro

---

[4] **Nota para a edição brasileira:** Dados da ONU mostram que 95% dos homicídios no planeta são cometidos por homens (1) e, no Brasil, o perfil das vítimas reflete a pesquisa britânica, com os homens respondendo por 92% das vítimas dos homicídios registrados entre 2007 e 2017. Em relação à violência doméstica, uma pesquisa brasileira mostra que, para 42% das entrevistadas que haviam sofrido violência em algum momento dos doze meses anteriores, o episódio mais grave ocorreu dentro de casa. Segundo essa mesma pesquisa, apenas 10% das mulheres disseram ter buscado uma Delegacia da Mulher após esse ataque mais grave (2). Por causa de violências domésticas, temos ainda o registro de 263.000 casos de lesões corporais dolosas somente em 2018, um número recorde, que equivale a um incidente a cada dois minutos (3). Quanto ao feminicídio (ou seja, mulheres vítimas de homicídio doloso pelo fato de serem mulheres), 2019 teve 1.314 ocorrências no Brasil, um aumento de mais de 7% em relação ao ano anterior, o que equivale a uma mulher sendo vítima de feminicídio a cada sete horas (4).
Fontes: (1) https://bbc.in/35QlMhr; (2) https://bit.ly/3bcAakT; (3) https://bit.ly/2SX2nWK; (4) https://glo.bo/2yB0sjB.

que resulta, na Inglaterra, em pelo menos duas mulheres assassinadas por semana.

Ao mesmo tempo, ainda que também sofram abusos, os homens enfrentam barreiras pessoais e sociais — assim como muitas mulheres — para denunciar casos de violência doméstica, alguns enfrentando dificuldades até mesmo para contar a pessoas próximas sobre suas experiências negativas. No entanto, números recentes mostram que, no Reino Unido, a proporção de homens que contaram à polícia sobre os abusos domésticos que sofreram aumentou de 10,4% em 2014 e 2015 para 14,7% em 2018.[5]

É sob este viés que se percebe o quanto a vergonha é uma emoção central, impositiva e degradante dentro da propalada identidade masculina. Os homens são muitas vezes vistos como menos masculinos ou menos homens por sofrerem violência nas mãos de uma mulher, e esse tipo de vergonha em geral tem origem na repressão perpetuada por outros homens, na mídia e em estereótipos danosos entranhados na sociedade como um todo. É triste pensar como a sociedade estigmatiza com mais rigor homens que sofrem violência doméstica do que aqueles que cometem atos violentos. Sem falar que, nos limites do debate, as pessoas costumam focar nas relações heterossexuais, esquecendo os relacionamentos LGBTQ+ e os casos de abuso que podem ocorrer aí. E é evidente: enquanto os homens vítimas de violências provocadas por mulheres podem sofrer com a vergonha, os homens vítimas de violências provocadas por outros homens, que talvez sejam até seus próprios parceiros, também passam por traumas e constrangimentos semelhantes.

É desnecessário dizer que a maioria esmagadora dos

---

[5] Office of National Statistics. **Domestic abuse in England and Wales: year ending March 2018**. Disponível em: https://bit.ly/3fpU5jT.

homens não é violenta, assim como a maioria das mulheres. No entanto, os homens de fato cometem a maioria dos crimes violentos: uma realidade que precisa ser analisada e compreendida já no seu contexto original. Quer dizer, jovens garotos são muitas vezes educados através da violência e da agressividade, de uma maneira que, quando chegam na vida adulta, eles enxergam a violência como a língua comum das suas experiências. Em outras palavras, os meninos são iniciados na agressividade desde muito cedo, no início por meio da socialização primária, ou seja, dentro da família e da vida doméstica, que é o momento no qual os garotos constroem suas identidades e o autoconhecimento, aprendendo o que é e o que não é aceitável no ambiente familiar e, em consequência, na sociedade em geral. As crianças são ensinadas a formar laços, relacionamentos, aprendem como brincar e se comunicar e, mais importante, aprendem como agir — ou melhor, como reagir. E todo este processo é amplamente influenciado pelo que nós oferecemos a elas.

SOLDADINHOS DE CHUMBO

> *Eu tive uma conversa recentemente sobre como nós que nos identificamos dentro do gênero masculino temos a violência como a principal ferramenta de comunicação, e aí eu entendi como provocar dor em outra pessoa foi o que me fez encontrar meus melhores amigos quando eu era criança — Rhael.*

É um fato: os brinquedos com os quais brincamos na infância causam impacto na maneira como nos expressamos e como nos compreendemos. Os garotos, em especial, muitas vezes ganham brinquedos que refletem modos mais agressivos e físicos de envolvimento, como revólveres de plástico, caminhões, martelos e outros tipos de ferramentas, uma variedade grande de itens que cobram uma conta no final. Um estudo conduzido pela universidade estadual de Iowa, intitulado *The relation of violent and non-violent toys to play behaviour in pre-schoolers* ("A relação dos brinquedos violentos e não violentos com o comportamento de alunos de pré-escola durante as brincadeiras"), descobriu que "agressões verdadeiras e de mentira ocorrem com mais frequência em brincadeiras com brinquedos violentos do que nas brincadeiras com brinquedos não violentos".[6] Uma observação muito simples, na verdade: as crianças geralmente demonstram um comportamento mais ou menos agressivo, seja real ou de mentira, a depender do tipo de brinquedo envolvido.

Quando penso nos brinquedos com os quais eu brincava na infância, me lembro muito bem de ganhar armas e bonecos articulados, além de consumir conteúdos, como desenhos animados, programas de televisão, música e filmes, que reforçavam e normalizavam o comportamento agressivo como a principal regra. Outro estudo, *The relation between toy gun play and children's aggressive behaviour* ("A relação entre brincar com armas de brinquedo e o comportamento agressivo das crianças"), realizado na Universidade de Brandeis,[7] ratifica a afirmação anterior de Iowa, mas também conclui que as punições físicas impostas pelos pais aos filhos estimulam uma perceptiva agressividade tanto em meninos quanto em meninas, que, no futuro, podem repetir o padrão a que foram submetidos.

A violência e a agressividade masculina também são normalizadas por meio da socialização secundária, nas escolas, em muitas das quais predomina uma cultura de mas-

---

6 Disponível em: https://bit.ly/3dosjSS.
7 Disponível em: https://bit.ly/2L95hn5.

culinidade tóxica. Entre os meninos, brincar de luta é muitas vezes um sinal de amizade. Dois meninos que não são amigos geralmente não brincam de luta um com o outro. No entanto, brincar de luta pode levar, como quase sempre acontece, a brigas de verdade, quando um sente que o outro foi longe demais, ou quando uma das crianças se sente envergonhada ou humilhada, o que não é admissível na frente dos colegas. Ou seja, desde muito cedo exercitamos a violência como uma maneira de socializar e de entrar no universo dos homens. Podemos inclusive entender a agressividade masculina como uma forma de hierarquia, uma maneira de testar quem é o mais forte do grupo sem precisarmos entrar em uma briga de verdade. É uma lógica que ajuda a estabelecer a ordenação social do grupo masculino, que volta e meia é delineada a partir de características físicas associadas à virilidade, como força, ao invés de gentileza ou de empatia (que são tipicamente associadas à feminilidade). Porque, sim, em muitos aspectos, é uma disputa por autoridade, em que você é tratado com respeito se for considerado forte, e com muito menos respeito se fizer demonstrações públicas de fragilidade — com apenas uma grande possibilidade de mudança, que é a briga, isto é, assim que você entra em uma briga de verdade, tudo muda, e a sua posição na hierarquia pode sofrer uma revolução a qualquer momento. Basta pensar no cenário clássico de Peter Parker e Homem-Aranha, em que o pária social, ou o "nerd", considerado fraco, dá uma surra no atleta musculoso e babaca, de repente ganhando popularidade e "malícia urbana", escalando a pirâmide social.

 Logo, a agressividade masculina é também uma performance. Ainda na infância, os meninos costumam ser pressionados, muitas vezes por outras crianças, para que expressem interesse pelas meninas e colegas de sala por quem eles talvez estejam atraídos, mesmo que ainda não tenham desenvolvido a linguagem para externalizar esse afeto. E, neste sentido, brincar de luta ajuda o menino a se destacar em frente à(s) menina(s), enquanto também mantém, ou até mesmo acumula, autoridade e respeito entre os garotos.

Um dos aspectos mais profundamente bizarros da masculinidade, ou quando os homens se identificam dentro do espectro da masculinidade, é que há uma grave falta de intimidade (não sexual) com o seu próprio gênero — Jordan S.

Como se ainda fôssemos crianças, nós seguimos brincando de luta para satisfazer a ausência de um toque íntimo que não temos mais acesso, o toque com o qual estávamos acostumados na pré-adolescência — ainda que "íntimo" aqui não queira dizer romântico, e sim uma relação de cuidado. É o resultado de um processo: quando avançam para a adolescência, os garotos são socializados e deles se espera que sejam fortes, estoicos e físicos, que se destaquem na multidão, que sejam "homens de verdade", e assim o contato suave e carinhoso da infância se torna obsoleto. Brincar de luta é uma maneira de reestabelecer a conexão, mas dentro dos limites da masculinidade patriarcal aceita, sob a perspectiva de que os meninos não serão expulsos da sociedade por se envolverem em uma interação física que seja violenta ou agressiva.

Com frequência, a violência que ocorre entre homens adultos tem origem nesses atos aparentemente divertidos de agressão, em que os homens apenas correspondem às expectativas impostas à masculinidade por tantos e tantos anos. Na mesma linha, a agressividade contra as mulheres, que muitos homens sentem mais tarde na vida, já teve sua motivação associada à falta de diálogo e de uma instrução mais qualificada das crianças e adolescentes, o que, em algum momento, leva à inabilidade para processar emoções e sentimentos de raiva e fúria. E existe ainda a questão da raiva interna e da fúria reprimida, crescente entre os jovens e persistente entre os adultos, com um impacto significativo na saúde mental dos indivíduos.

DEPRESSÃO, ALIENAÇÃO E SUICÍDIO

Durante uma época, quando eu tinha vinte e poucos anos, eu me sentia sozinho, isolado, distante e letárgico. E não conseguia entender por que me sentia daquela maneira, como se todos meus esforços fossem inúteis e sem sentido. Eu me sentia como se precisasse do dobro de energia para realizar qualquer tarefa mínima e cada dia me parecia mais e mais cansativo, uma longa jornada sem destino final, como um carro ficando sem combustível. Para piorar, eu não tinha ninguém com quem conversar sobre esse sentimento e também não sabia me relacionar muito bem com as pessoas ao redor; por isso, tentei esconder minha melancolia do melhor jeito possível, sempre colocando os outros para cima, exercitando a positividade com os amigos, bancando o engraçado, animado, feliz, o que, convenhamos, não passava de uma enganação em nível bastante superficial. No fundo, na verdade, eu sentia uma tortura angustiante, uma dor profunda, que ultrapassava a dimensão física. Para mim, estava claro que a situação era realmente crítica, então achei que todos à minha volta podiam enxergar meu desespero. Eu me sentia exposto, como se a dor escorresse pela minha pele. Mas fiquei chocado ao descobrir que ninguém notava, ninguém percebia minha mudança de rumo, que alguma coisa em mim estava morrendo. E, quando ninguém apareceu para oferecer apoio, um ombro amigo, um espaço de proteção, um minuto de conversa que fosse, quando ninguém ouviu meu grito abafado pedindo ajuda, senti que minha única opção era enfrentar o problema sozinho. Eu me isolei ainda mais, porque acreditava com toda força do mundo que a única pessoa capaz de me ajudar era eu mesmo.

E é incontável o número de homens e meninos que se sentem assim, que acham que precisam sofrer sozinhos, sem ninguém para conversar, sem válvula de escape, sem saída. Alguns passam por isso e saem melhores, mas, para muitos, a repressão é inevitável, com consequências fatais. De fato, as estatísticas de homens que sofrem de várias questões de saúde mental são bastante chocantes, e deveriam ser motivo de preocupação internacional. Aqui vão algumas estatísticas,[8] válidas para o território britânico, de acordo com o fórum local de saúde do homem:

- Aproximadamente três em cada quatro suicídios são cometidos por homens, o que equivale a 76% do total de casos.
- Suicídio é a maior causa de mortes para homens com menos de trinta e cinco anos.
- 12,5% dos homens sofrem de pelo menos um transtorno de saúde mental (como, por exemplo, transtornos de ansiedade e de pânico, depressão, transtorno bipolar, abuso de substâncias e vício).
- A taxa de depressão em homens é estimada em 8% (12% para as mulheres). No entanto, os homens têm menor probabilidade de buscar ajuda profissional ou de acessar serviços de saúde mental. Os homens também têm um acesso significativamente menor ao apoio social por meio de amigos, parentes e da comunidade local.

---

8   Disponível em: https://bit.ly/3fpYjrw.

Estatísticas adicionais, desta vez especificamente relacionadas a crianças e adolescentes, e compiladas pela YoungMinds,[9] uma das principais instituições a lidar com a saúde mental de jovens no Reino Unido, mostram que:

- Um em cada cinco adolescentes possui um transtorno mental diagnosticado (entre crianças, o número é de uma em cada dez).
- Um em cada doze adolescentes já se automutilou ou vai se automutilar em algum ponto de sua vida.
- Entre adultos britânicos, um em cada três problemas de saúde mental tem relação direta com experiências adversas ou traumáticas na infância.[10]

Aqui vão mais alguns números interessantes, também compilados pelo fórum britânico de saúde mental do homem, que, além de retratar a vida real de muitos homens na sociedade moderna, e embora não sejam estatísticas específicas sobre saúde mental, esboçam uma série de fatores que podem contribuir para o agravamento do problema:

- 87% dos moradores de rua ou de pessoas em condições precárias de habitação são do sexo masculino.

9 Disponível em: https://bit.ly/2LdIRBa.
10 **Nota para a edição brasileira:** Entre 10% e 20% dos adolescentes em todo o mundo sofrem de problemas de saúde mental, mesmo que eles permaneçam sem diagnóstico ou tratamento (1). O problema é ainda maior quando se observa que um em cada cinco jovens no mundo pratica a automutilação ou machuca a si mesmo (2) e que, no mundo inteiro, o suicídio é a segunda maior causa de morte de pessoas entre quinze e dezenove anos de idade (3). **Fontes:** (1) https://bit.ly/3bmPgog; (2) https://bit.ly/35Jjlgh; (3) https://bit.ly/2SNr0Ff.

- Na comparação com as mulheres, os homens têm três vezes mais chances de se tornarem dependentes de álcool, e três vezes mais chances de incorrerem em abuso de drogas.
- Os homens formam 95% da população prisional britânica.[11]

Acho que os homens, em média, são mais propensos a formas mais extremas e violentas de comportamento, e o suicídio é uma forma de comportamento violento — Matt.

Em um artigo na revista da sociedade britânica de psicologia, Swani, Payne e Stanistreet examinam um relacionamento que, segundo eles, tem sido amplamente subestimado: a relação entre agressividade e suicídio. Eles argumentam que as mulheres têm um alto índice de tentativas de suicídio, mas que

> uma diferença importante no suicídio completado entre homens e mulheres reside nos procedimentos adotados. Os homens têm maior probabilidade de se suicidarem por meio de métodos violentos com alta letalidade, como armas de fogo ou enforcamento — porque tais métodos correspondem às construções dominantes da masculinidade que circunscrevem a agressividade e a força.[12]

---

[11] **Nota para a edição brasileira:** Em uma cidade como São Paulo, 85% dos moradores de rua ou de pessoas em condições precárias de habitação são homens (1). E, no Brasil, os homens representam 92% da população carcerária (2). **Fontes:** (1) https://glo.bo/2A6t58B; (2) https://bit.ly/2ziZRmP.

[12] SWANI, Viren; STANISTREET, Debbi; PAYNE, Sarah. **Masculinities and suicide.** The British Psychological Society, v.21, n.4, abr. 2008. Disponível em: https://bit.ly/3bfZ6rK.

A avaliação dos pesquisadores, portanto, indica que a agressividade na qual os homens são inscritos desde a infância não só pode levar a problemas de saúde mental, mas também pode ser um fator diferencial, na comparação com as mulheres, nos índices de sobrevivência a tentativas de suicídio. É aí que vemos como a agressividade, a violência e a saúde mental são inter-relacionadas.

A ressalva, é claro, precisa ser feita: quando falamos sobre sociedades patriarcais, precisamos focar nossa observação primária nas maneiras pelas quais as mulheres são oprimidas como consequência do sistema. No entanto, a noção de que os homens se beneficiam dele, em todos os aspectos das suas vidas, é traiçoeira. Pois existem claras evidências de que os homens estão sofrendo, e estamos quase chegando ao ponto de uma epidemia: a masculinidade tóxica prospera em um círculo vicioso no qual os homens contribuem para a repressão ao mesmo tempo em que sofrem com ela. E, se não podemos desmantelar as estruturas opressivas de uma hora para outra, é preciso que as comunidades locais criem estratégias e intervenções para ajudar os homens — assim como as mulheres — a lidar melhor com as questões de saúde mental. Neste cenário, é importante lembrar que a mídia e a cultura popular têm um papel poderoso na sociedade, muitas vezes ditando que os homens não podem falar sobre seus sentimentos, que os homens devem sofrer emocional e mentalmente em silêncio. O que nos traz para uma afirmação inevitável: enquanto houver tabu nas discussões sobre saúde mental, questões graves como o suicídio vão continuar sendo menosprezadas e jogadas debaixo do tapete.

Quando os caras passam por grandes períodos de estresse e vivem coisas que são duras e dolorosas, eles tendem a guardar o sofrimento para si e não contam nada para as pessoas próximas. São vários os casos de homens que morreram de suicídio sem suas esposas ou filhos saberem de nada. E então todos descobrem depois que esses caras não queriam de jeito nenhum ser um peso para a família — Jordan H.

SAÚDE MENTAL E AUSTERIDADE

Todas as estatísticas sobre saúde mental precisam ser consideradas dentro do contexto da nossa atual sociedade e do ambiente político. E o que temos hoje? Em um artigo do livro *The violence of austerity* ("A violência da austeridade"), Mary O'Hara observa que "os serviços de saúde mental no Reino Unido são notoriamente mal financiados, muitas vezes ganhando o apelido de *serviço Cinderela*". Ela trabalha com estatísticas do centro para desempenho econômico da Grã-Bretanha, que revelam que os serviços de saúde mental recebem apenas 13% de todo o orçamento do NHS, o sistema de saúde pública do país, enquanto os transtornos mentais, no acumulado de doenças ao redor do mundo, representam 23% dos casos de redução da expectativa de vida saudável dos indivíduos.[13] O'Hara aponta que bons índices de bem-estar social contribuem para resultados positivos nas questões de saúde mental e, nesse sentido, a sociedade, que atua causando os nossos problemas de saúde, também limita nossas chances de conseguir tratamento, por meio de financiamento insuficiente e de contenções nos gastos com serviços públicos.

---

13 O'HARA, Mary. Mental health and suicide. In: COOPER, Vickie; WHYTE, David. (Org.). **The violence of austerity**. Londres: Pluto Press, 2017.

Com os continuados cortes no orçamento público, recursos destinados a centros comunitários e centros para jovens também são dizimados. No relatório *London's lost youth services 2018* ("Redução dos serviços para a juventude de Londres em 2018"), a integrante do partido verde Sian Berry registrou que, de 2011 a 2018, houve um corte de 44% nos orçamentos dos serviços para a juventude na capital inglesa, com uma perda média de um milhão e meio de libras para cada sub-região ao longo do período.[14] Isso provoca sérias consequências, pois a falta de centros comunitários é notoriamente ligada a um aumento nas taxas de crimes violentos. E é um fato: a agressividade, a violência e as questões de saúde mental não são apenas responsabilidade dos indivíduos, mas também cabe à sociedade tentar ajudar a reabilitação das crianças e dos adolescentes.

SAÚDE MENTAL SOB O OLHAR DO PÚBLICO

A saúde mental dos homens é um assunto efervescente, tendo recebido nos últimos anos uma atenção renovada por parte de organizações e instituições, assim como da mídia, de personalidades do alto escalão e de celebridades. O músico, MC e empresário Stormzy foi um dos que quebraram o tabu em torno das discussões sobre a saúde mental masculina, especialmente para o público mais jovem, e isso já no seu álbum de estreia, *Gang signs & prayer* ("Símbolos de grupo e oração"), que chegou ao primeiro lugar das paradas britânicas. Este álbum toca em várias questões essenciais, incluindo pressão psicológica, ansiedade e depressão e, logo no primeiro verso da música de abertura, *First things first* ("Primeiro as primeiras coisas"), ele diz: *You was*

---

14 BERRY, Sian. **London's lost youth services 2018**. Disponível em: https://bit.ly/3cnLCvG.

fighting with your girl/and I was fighting my depression ("Você estava brigando com a sua namorada / e eu estava lutando com a minha depressão"). Eu fui atravessado por essa letra, com destaque para a palavra "depressão". Já tinha ouvido Stormzy e acompanhava seu rápido crescimento dentro da indústria, mas, embora seu movimento seja importantíssimo, eu realmente não esperava que sua música reverberasse questões de saúde mental. Com o sucesso do disco, Stormzy então falou ao Channel 4 News, ao The Guardian e ao Jonathan Ross Show, dividindo sua história de depressão:

> Acho que isso é importante e precisa ser falado... Eu sei que parece muito clichê, mas, de verdade, eu achava que uns meninos iriam olhar para mim e provavelmente pensar a mesma coisa que eu penso sobre tantas outras pessoas: "aposto que eles nunca se sentiram desse jeito".

Outras vozes masculinas de peso falaram abertamente sobre saúde mental em tempos recentes, incluindo o rapper e ator Professor Green, que contou sobre as suas guerras internas no documentário *Suicide and me* ("O suicídio e eu"), o ator Dwayne "The Rock" Johnson, que revelou sua luta contra a depressão, e o escritor Matt Haig, mais conhecido por seus livros *Razões para continuar vivo* e *Notes on a nervous planet* ("Notas sobre um planeta nervoso"), que compartilhou com o público suas experiências com transtornos psicológicos, em especial a ansiedade e a depressão. No entanto, quando Chester Bennington, cantor da banda de rock Linkin Park, morreu de suicídio em julho de 2017, a notícia nos atingiu de uma maneira brutal e um clamor percorreu a mídia dos Estados Unidos e do resto do mundo. Chester já vinha falando, em entrevistas recentes, sobre sua luta com questões de saúde mental e com pensamentos suicidas. Ele também tratava de vários assuntos delicados através da música do Linkin Park. Era com essa música que eu me conectava de verdade na adolescência e no início da vida adulta, ouvindo aqueles discos para poder sobreviver aos meus dias mais sombrios, na esperança de não estar sozinho. Quando a notícia do suicídio de Chester se espalhou, vi muitos dos meus amigos publicando dedicatórias a ele, todos relatando como a música da banda foi importante para ajudá-los em determinado momento da vida. Foi aí que me dei conta de como, na transição da infância para o mundo adulto, embora muitos de nós passem pelas mesmas dificuldades, continuamos achando que estamos sozinhos na batalha.

Além de Chester Bennington, vários outros homens famosos infelizmente se suicidaram nos últimos anos, uma lista triste que inclui o famoso ator Robin Williams, o chef, autor e personalidade de tevê Anthony Bourdain, o cantor e compositor sul-coreano Kim Jonghyun, o estilista britânico Alexander McQueen, o ex-jogador de futebol e treinador galês Gary Speed, o apresentador e produtor norte-americano Don Cornelius e o ator americano Lee Thompson Young, para citar apenas alguns. Esses homens eram de idades variadas, vinham de culturas diferentes, eram de etnias distintas e não sofriam exatamente do mesmo transtorno psicológico. Eles também eram considerados homens de sucesso, e este é um ponto a ser desconstruído. A ideia de que o sucesso automaticamente previne alguém de sofrer de depressão é uma noção equivocada que leva as pessoas a estigmatizarem as questões de saúde mental como um problema do qual você pode simplesmente fugir se a sua vida atender a "certos padrões", quando sabemos que na verdade o que acontece é que a pessoa pode internalizar esse estigma e negar ainda mais a própria doença. Não existe uma regra unívoca, as questões de saúde mental podem afetar todo tipo de pessoa e comunidade, em qualquer âmbito social.

> *Eu sempre pergunto aos meus amigos "como vai você?", de um jeito bem casual. E todos eles me dizem que estão bem. E então eu pergunto de novo... E de novo... E aí eu preciso me preparar para uma resposta de uma hora... Eu digo a todos os meus amigos: pergunte três vezes a um cara como ele está e, na terceira vez, você provavelmente vai ter (a resposta). Porque "como vai você?" pode mesmo parecer uma pergunta bem superficial... Não acho que seja nossa responsabilidade, acho que as mulheres já têm muito com o que se preocupar. Mas acho que, do ponto de vista humano, é uma contribuição que vale a pena dar* — Julie.

Os homens nem sempre conseguem desenvolver a linguagem emocional necessária para discutir os seus sentimentos e experiências, mesmo com amigos, familiares ou parceiros românticos, e daí a importância de termos vozes conhecidas, especialmente as masculinas, falando com sinceridade sobre suas dificuldades com a saúde mental. Ouvir outras pessoas pode de fato ajudar a estabelecer uma conversa, à medida que vemos doenças com longos históricos de silenciamento se tornarem normalizadas e humanizadas diante dos nossos próprios olhos. Até porque o cenário segue complicado: de modo geral, as noções vigentes de virilidade e masculinidade apenas reforçam a ideia de que os homens não sofrem, ou não devem sofrer, de transtornos psicológicos como ansiedade ou depressão, pois essas questões não seriam mais do que sinais de fraqueza. E, assim, homens conhecidos e figuras públicas ajudam as pessoas a entenderem que muitos estão passando pelos mesmos dilemas, diminuindo o abismo entre saúde mental e identidade masculina. Ainda que, claro, até mesmo essas figuras enfrentem reações adversas, e às vezes até escutem que devem "ser homens". Em 2017, por exemplo, o jornalista e apresentador de televisão Piers Morgan publicou um tuíte em reação a novas estatísticas: "34 milhões de adultos no Reino Unido têm doenças mentais? Seja homem, Grã-Bretanha, e foque naqueles que REALMENTE precisam de ajuda". Bom, em geral, é difícil se abrir e desabafar para as pessoas ao seu redor, então quando uma celebridade ou mesmo um estranho diz que está passando pelas mesmas coisas que você, como ansiedade, depressão e angústia, esse depoimento alheio valida os seus sentimentos. Você se sente normal por passar por isso, porque alguém que você admira está passando pelo mesmo problema. Para não falar que, quando a pessoa já passou pela sua pior fase e chegou ao outro lado, você também alimenta sua esperança, você sente que também pode conseguir. Portanto, comentários nocivos vindos de celebridades como essas, coagindo as pessoas para que elas "sejam homens", tendem a ter um resultado danoso, impedindo alguém de conseguir a ajuda que tanto precisa. Nessa mesma linha, uma última ressalva: quando uma história chocante a respeito de uma figura conhecida estoura na imprensa, é positivo que a reação seja uma preocupação coletiva sobre as questões de saúde mental, mas o mesmo nível de atenção, empatia e cuidado deve ser estendido a todos os indivíduos, em especial àqueles que estão sofrendo bem longe das câmeras.

Os motivos para uma pessoa decidir tirar a própria vida podem variar, é um terreno bastante ambíguo e pouco claro para quem está ao redor e, às vezes, é um assunto confuso até mesmo para os indivíduos que estão enfrentando aquela dor interna. Para muitos homens, o conflito pode surgir a partir de sintomas de ódio e raiva internalizados, resultantes de traumas pré-existentes, como casos de abuso, ou então através de sentimentos de total desespero e incapacidade (ou falta de vontade) de lidar com a vida — ou seja, depressão. No entanto, garantir que as pessoas se sintam apoiadas antes que seu aparelho psíquico chegue a um estado crítico é um movimento imprescindível. Não à toa, entidades como a YoungMinds[15] lutam por estratégias de prevenção ainda nos estágios iniciais das vidas dos jovens, quando eles são particularmente vulneráveis a sofrerem com questões de saúde mental.

Em suma, o estigma em torno dos homens, da masculinidade e da saúde mental masculina só vai começar a mudar quando os homens deixarem de ser humilhados e silenciados por sofrerem problemas de ordem psicológica. Precisamos ter mais homens que decidam se abrir e que falem a respeito de suas experiências e dificuldades com a saúde mental, expondo não só as suas lutas, mas também as suas vivências cotidianas. É uma lógica direta: se tivermos mais homens e meninos se sentindo livres para se expressar, de uma maneira emocional, sem julgamentos (de outros homens, em particular), mais rápido veremos uma mudança positiva. E esse movimento precisa acontecer desde a infância. No documentário *The mask you live in* ("A máscara em que você vive"), sobre infância e masculinidade, a médica Niobe Way afirma que, "na idade exata em que começamos a ver a linguagem emocional desaparecer da narrativa dos meninos, segundo uma série de pesquisas, é quando os garotos começam a ter taxas de suicídio cinco vezes maiores do que os números das meninas".

Escrever poesia e manter um diário me ajudou muito com as minhas próprias dificuldades com a saúde mental,

15 **Nota para a edição brasileira:** Ou, no Brasil, iniciativas como o Centro de Valorização da Vida (através do telefone 188 ou do site www.cvv.org.br).

me auxiliando a expressar e compreender os meus pensamentos. Quando eu sentia que não tinha mais ninguém para conversar, ou quando não me sentia à vontade falando com outras pessoas — em grande parte porque me preocupava com a possibilidade de ser julgado ou não ser compreendido —, eu escrevia no meu diário. Eu me comunicava através da escrita, e esse tipo de expressão, embora não seja uma solução absoluta, me ajudou a aliviar parte do peso que eu sentia na época. Muitos homens precisam de um canal de comunicação semelhante, assim como precisam de apoio comunitário. Precisamos parar de tratar a saúde mental e as doenças que a afetam, como a ansiedade e a depressão, como incidentes isolados, nos unindo para apoiar uns aos outros, livres de julgamentos, em espaços que sejam seguros, amorosos e transformadores. Acima de tudo, precisamos contestar os cortes nas estruturas dos serviços de saúde, lutando para que todo mundo tenha acesso adequado a tratamentos que podem salvar as suas vidas.

CAPÍTULO 3
O QUE O AMOR TEM A VER COM ISSO? AMOR, SEXO E CONSENTIMENTO

Se as emoções são tão fracas, por que somos aqueles que estão fugindo delas? — Rhael.

Eu fui criado à base de músicas românticas: R&B, slow jams, soul, pop, rumba congolesa, músicas do início dos anos 2000 em que letras sobre amor, saudade e dor de cotovelo eram a regra. Cansei de ouvir artistas e bandas como Jagged Edge, Joe, Boys II Men, Backstreet Boys, N-Sync, Eternal, Destiny's Child, En Vogue, Marvin Gaye, Okay Jazz, Papa Wemba, Shola Ama, Craig David, Another Level, Daniel Bedingfield e Maxwell. Eu ouvia músicas como *End of the road*, do Boys II Men, e cantava junto como se fosse eu que tivesse acabado de terminar um relacionamento. Ou *Let's get married*, do Jagged Edge, imaginando o dia em que eu também subiria ao altar. Portanto, a cultura do amor romântico era realmente quase inescapável.

Quando estava no Ensino Fundamental, eu gostava demais de uma colega de sala que era também minha vizinha. Ela morava no mesmo bloco que eu, mas o nosso apartamento era um ou dois andares acima do dela. Uma manhã de primavera, decidi escrever uma carta expressando todo meu afeto. Para fazer a mensagem chegar até a menina, fiz um aviãozinho de papel com a carta e arremessei para o alto, na esperança de que ele planasse até a varanda da garota. A carta passou do ponto e aterrissou bem lá embaixo, na área comum do condomínio. Então escrevi outra. E outra. E continuei reescrevendo — escrevia, arremessava e errava — até que, no final das contas, lá pela décima tentativa, minha carta de amor transformada em aviãozinho de papel pousou na varanda da menina. Algumas horas depois, quando ela saiu para passear com o cachorro, fiquei na expectativa de ver como ela reagiria ao encontrar as cartas. Só mais tarde descobri que o zelador do prédio já tinha recolhido os aviõezinhos e jogou todos fora antes que fossem encontrados pela destinatária. Passei várias noites olhando cabisbaixo para a varanda dela, me perguntando se a menina sabia de alguma coisa. O tempo inteiro tentava reunir coragem para declarar meu amor por ela, atitude que eu nunca tomei.

    Olhando em retrospecto, hoje me dou conta de que todas as músicas de amor que eu cresci ouvindo incentivaram e nutriram em mim uma empatia emocional e uma abertura comunicativa, que depois seriam radicalmente desencorajadas nos meus anos de adolescência e de jovem adulto. Eu era um garoto expressivo do ponto de vista emocional, e muitos dos meninos na minha escola primária também eram. Mas, quando cheguei no ensino médio, eu costumava dizer que o amor não me interessava, que eu não tinha emoções, que amor era coisa de gente covarde, porque, em algum ponto do caminho, assim como muitos dos garotos com os quais cresci, me transformei em um homem blindado por uma carapaça. A experiência masculina, claro, se desdobra em várias nuances, como vamos discutir mais à frente, mas, de uma perspectiva masculina hétero, parece que os homens são educados fora do amor, enquanto as mulheres são educadas dentro dele.

Quer dizer, os homens são muitas vezes educados fora do amor no sentido em que a empatia emocional não é mais a norma, ou sequer um traço desejável, enquanto o desligamento emocional é um ideal a se perseguir. Por outro lado, as mulheres tendem a ser educadas dentro do amor, ou em uma ideia do que seja o amor, como uma maneira de reforçar papéis tradicionais de gênero. Desde muito novas, as mulheres são preparadas, tanto pelas suas famílias quanto pela sociedade, a serem a esposa de alguém: elas são domesticadas, ensinadas e cobradas a cozinhar e lavar, o que com frequência não tem nada a ver com autossuficiência, e sim com a preparação para ser uma "boa esposa" de um hipotético futuro marido. Tanto é assim que você pode ter um menino e uma menina que crescem na mesma casa e, quando chega a hora de ambos serem independentes, a menina sabe muito bem como realizar as tarefas domésticas enquanto o menino mal chega a tentar executá-las. O que é um arranjo ardiloso: além de todo o peso do esforço físico doméstico, essa pressão sobre as mulheres — para que elas cuidem do marido, sacrifiquem as próprias ambições ou se submetam a fazer um homem se sentir mais forte ou mais inteligente — exige também um desgastante esforço "emocional".

EXCLUSIVO PARA JOGADORES

Os homens recebem alguns privilégios dentro da dinâmica do amor, em especial nos relacionamentos e no sexo. Para os homens, o mesmo tipo de conduta sexual pelo qual as mulheres são execradas não apenas é considerado aceitável, mas também digno de elogio. Pense nos casos de infidelidade que são expostos ao olhar do público: os homens são perdoados pela sociedade com bastante facilidade, com o comportamento deles quase sempre sendo justificado pelo mito de que os homens têm uma libido muito maior; as mulheres, por sua vez, são marcadas com uma caneta vermelha e veem suas vidas serem indelevelmente manchadas, com um rótulo pendurado nelas por bastante tempo, muitas vezes sem nenhum perdão. E não podemos esquecer, como já dissemos: os homens solteiros com várias parceiras são rotulados como "garanhão", "comedor", "pegador", "Casanova", ou "destruidor de corações", enquanto as mulheres são chamadas de "putas", "vadias", "vacas", "vagabas", "safadas", "cachorras", "rodadas", "promíscuas", "prostitutas", em uma lista interminável, que a cada ano parece se atualizar com novas palavras.

As mulheres têm tentado subverter o uso desses apelidos, como, por exemplo, quando Amber Rose criou a *Slut walk* ("Marcha das vadias"), em 2011, um movimento pedindo o fim da cultura do estupro, da culpabilização das vítimas e do slut-shaming (a prática de violentamente estigmatizar mulheres e meninas que não correspondam às expectativas conservadoras a respeito da própria sexualidade). Mas ainda estamos em um universo no qual os rótulos misóginos existem para enfraquecer e envergonhar as mulheres, tirando delas o direito de se assumirem como seres sexuais livres, ao mesmo tempo em que para os homens é dado controle ainda maior sobre o sexo: "tudo no mundo tem a ver com sexo, exceto o sexo, o sexo tem a ver com poder". Sendo assim, não é nenhuma surpresa que os rótulos utilizados para condenar as pessoas por fazerem sexo consensual são, na maioria das vezes, apenas mais uma maneira dos homens reforçarem as dinâmicas opressivas de gênero.

SEXO COMO INICIAÇÃO À MASCULINIDADE

Eu não quero ter um ritual de entrada na masculinidade, não é uma ideia que faça qualquer tipo de sentido para mim — Tom.

As expectativas em torno do sexo variam para os homens e para as mulheres. Ambos são pressionados a fazerem sexo, mas de maneiras diferentes. Desde muito cedo, a maioria dos meninos sofre pressão para pensar em sexo, para desejar o sexo e também para consumar o ato o quanto antes. Com frequência, essa pressão parte de outros meninos ou homens mais velhos, com o sexo servindo de rito de passagem para a masculinidade, e, sob esta perspectiva, se já chegou a determinada idade, é quase inconcebível que um menino não tenha feito sexo ainda. Das meninas, espera-se que elas continuem "puras" e virgens pelo maior tempo possível, às vezes até o casamento — embora essa visão dependa de normas e de expectativas culturais de cada sociedade.

Essa pressão imposta sobre os meninos para que percam logo a virgindade pode levar ao apagamento de casos em que garotos fizeram sexo antes mesmo da idade de consentimento. E este é um problema sério: quando um menino muito novo faz sexo com uma menina mais velha ou com uma mulher adulta, muitas vezes não conseguimos reconhecer esse ato como um caso de estupro ou de abuso sexual, pois noções preconceituosas de masculinidade nos dizem que mulheres mais velhas não se aproveitam sexualmente dos meninos. Pelo contrário, segundo a lógica dominante, e essa é uma máxima recorrente entre homens mais velhos, quanto mais jovem for o garoto, mais realizado, mais "macho" ele será se fizer sexo com uma menina ou mulher adulta. Por exemplo, em uma entrevista para o Daily Mail em 2013,[1] o cantor, compositor e ator norte-americano Chris Brown revelou que tinha apenas oito anos de idade quando deixou de ser virgem, e, se gabando do seu número de conquistas, se comparou ao cantor Prince. Brown afirmou que "perdeu a virgindade" com uma menina que tinha quatorze ou quinze anos. Ele também alegou que, nessa idade, já consumia pornografia. E a entrevista segue por mais alguns parágrafos no mesmo compasso. Vale notar aqui a linguagem adotada pela mídia em relação ao caso. Todos os veículos relataram que ele tinha oito anos quando perdeu a virgindade, ou seja, nenhuma menção ao fato de que ele foi estuprado, abusado sexualmente ou que a garota se aproveitou dele, uma reação e uma linguagem bem diferentes das que seriam utilizadas se o relato envolvesse uma menina de oito anos e um garoto de quatorze ou quinze, o que seria acertadamente classificado como estupro de vulnerável. Essa discrepância mostra como os meninos são condicionados a pensar que, quando eles estão envolvidos, ainda que de maneira precoce, o sexo é algo a ser comemorado, e não algo a ser combatido.

Na entrevista ao Daily Mail, Chris Brown ainda declarou: "Com oito anos, se você consegue fazer (sexo), isso meio que é uma preparação para o que vem depois, então você pode ficar um verdadeiro monstro no assunto... A maioria das mulheres que estiveram comigo não reclama de nada. Elas realmente não podem reclamar. Tudo é muito bom comigo". Essa citação é particularmente reveladora e deixa muito claro como, na sugestionável idade de oito

---

[1] WHITE, Chelsea. Far Too Young! Chris Brown reveals he was just eight years old when he lost his virginity as he compares himself to Prince. **Daily Mail**. 5 de outubro de 2013. Disponível em: www.dailymail.co.uk/tvshowbiz/article-2445396/Chris-Brown--reveals-8-lost-virginitycompares-Prince.html.

anos, Brown já havia sido exposto ao sexo e à ideia de que um homem deve agradar às mulheres. A citação também mostra o quanto a identidade e o valor de um homem tendem a ser ligados a quão bom é o seu desempenho sexual, além de sentenciar o sexo como o apogeu das interações masculinas com as mulheres, o fenômeno que firmemente estabelece o sujeito na categoria de homem.

PORNOGRAFIA ENQUANTO REALIDADE

Muita gente aprende a fazer sexo através da pornografia — Julie.

Essa percepção do sexo como uma iniciação obrigatória à masculinidade existe há séculos, mas ela foi potencializada com a tecnologia e com a facilidade cada vez maior para as pessoas consumirem conteúdo sexual. De fato, o consumo masculino de pornografia nunca foi tão grande, e meninos estão sendo expostos à pornografia cada vez mais novos, o que pode levar a dependências sexuais, problemas de intimidade, desejo por isolamento e prejuízos nas relações interpessoais. Para muitos jovens, a pornografia é inclusive a única fonte de conhecimento sobre sexo e educação sexual, o que parece ser a origem do problema.

Pesquisas indicam que 90% dos meninos são expostos à pornografia até os dezoito anos, com a idade média de exposição sendo de apenas onze anos, e que os homens têm mais chances de verem pornografia do que as mulheres (o que não quer dizer que as mulheres não vejam pornografia, já que, de acordo com dados recentes, um em cada três consumidores de pornografia é mulher).[2] Em Londres, nos

---

2 WATSON, Elwood. Pornography addiction among men is on the rise. **HuffPost**. 14 de outubro de 2014. Disponível em: https://bit.ly/35P7LQX.

últimos seis anos, a clínica One Harley Street registrou um aumento de 100% na procura por tratamentos para vício em pornografia.[3] Casos como o do ex-jogador de futebol americano e hoje ator Terry Crews, astro das séries *Everybody hates Chris* e *Brooklyn nine-nine*, que contou em 2014, em uma transmissão ao vivo no Facebook vista por mais de três milhões de pessoas, como o pornô "bagunçou a sua vida". Ele disse:

> Algumas pessoas falam: "cara, você não pode ser viciado de verdade em pornografia". Mas vou dizer uma coisa para vocês: se o dia vira noite e você ainda está assistindo, você provavelmente tem um problema. E eu era assim... Então, é o seguinte: [a pornografia] muda a maneira de pensar sobre as pessoas. As pessoas se tornam objetos. As pessoas se tornam partes de corpos, elas se tornam coisas para serem usadas, ao invés de serem pessoas a serem amadas.

Boa parte do conteúdo pornográfico produzido pela indústria é bastante centrado em gratificações e fantasias sexuais masculinas, e esse material quase sempre se apoia em temas misóginos ou racistas. A pornografia não é um reflexo real do tipo de sexo que as pessoas fazem no dia a dia, e tampouco é um reflexo do tipo de corpo que, de modo geral, as pessoas têm. Além disso, ao longo dos anos, a pornografia se tornou cada vez mais violenta e misógina, e um dos efeitos desta transformação é a maneira como os homens falam sobre ou se referem ao sexo. Isto é, a linguagem coloquial que os homens usam para descrever o sexo reflete a proeminência da violência e da misoginia na por-

---

3   BLUNDEN, Mark. Number of Londoners seeking help for porn addiction soars. **Evening Standard**. 17 de maio de 2018. Disponível em: https://bit.ly/3dzxCiw.

nografia. E aqui vão alguns exemplos, todos evidenciando a brutalidade do vocabulário: "comer", "socar", "estocar", "madeirar", "meter", "passar a vara", "ir para o fight", "dar uma bombada", "uma pistolada", e por aí vai. Como resultado, o uso dessa linguagem para se referir ao sexo remove a intimidade do contato e desumaniza seu aspecto pessoal, reduzindo as relações sexuais a uma ação meramente mecânica — física e agressiva da maneira mais simplista —, e muitas vezes retratada como um procedimento que o homem executa em uma mulher, e não um engajamento mútuo, uma dimensão humana que a mulher também exerce.

VIRGINDADE E INCELS

Em 2014, um homem de vinte e dois anos chamado Elliot Rodger, de Santa Bárbara, na Califórnia, abriu fogo contra uma multidão, matando seis pessoas e ferindo outras quatorze. Ele deixou para trás uma série de vídeos e um "manifesto" publicado no YouTube, intitulado *Elliot Rodger's retribution* ("A vingança de Elliot Rodger"), um vídeo no qual ele proclamava seu ódio contra as mulheres. Esse ódio tinha sua origem na rejeição que Elliot afirmava ter sofrido por parte de várias mulheres, mulheres que eram sexualmente ativas com outros homens, e não com ele. Mais adiante, Elliot também expressava profundo ressentimento e amargura por seu status de virgem e, de maneira geral, caracterizava o massacre que ele iria cometer como uma punição às pessoas que o decepcionaram. Pouco depois que surgiu a notícia, a partir da análise dos seus vídeos postados na internet, Rodger foi identificado pelos veículos de imprensa, pelas redes sociais e pelo mundo online como sendo parte da cultura incel, sendo chamado de herói por algumas pessoas e de monstro por outras. Os incels se autodefinem como "celibatários involuntários" (do inglês: involuntary celibates) e formam uma subcultura virtual cujo crescimento nos últimos anos tem sido significativo. É um grupo que pinta um quadro terrível da realidade, mas que se encaixa perfeitamente na masculinidade tóxica dos dias de hoje. Os incels acreditam que têm direitos especiais no que diz respeito a ser um homem e a ser uma pessoa sexualmente ativa, direitos esses que se mostram em total contraste àqueles que seriam concedidos às mulheres. Eles acreditam na redistribuição do sexo, que funcionaria a partir do pressuposto de que os homens merecem e têm direito ao sexo, devendo ter o prazer deles satisfeito pelas mulheres a qualquer hora do dia. Claro, nossa reação inicial é argumentar que essa caracterização não é verossímil, pois não é possível que nos tempos atuais algum ser humano acredite de verdade que, do ponto de vista sexual, tem um direito sobre o corpo de outro ser humano. No entanto, a misoginia e a cultura do estupro se propagam com base na ideia de que os homens têm direito ao corpo das mulheres, uma ideia que, como bem sabemos, vem sendo reforçada pelo patriarcado no decorrer da história. Hoje, a cultura do estupro assume diferentes formas e configurações, escondida em letras de músicas pop ou através de mensagens disfarçadas de "comédia" em programas de televisão, mas seus valores carcomidos e nocivos continuam muito presentes. Não à toa, vemos as manchetes usando uma linguagem desumanizadora para tratar das mulheres sob os holofotes e nos perguntamos por que as pessoas estão tão desinformadas a respeito da misoginia e da cultura do estupro. Pelo contrário, a pouca educação que as pessoas recebem sobre esses temas, por meio de conversas com mulheres, familiares ou professoras, é muitas vezes desfeita pela normalização da masculinidade tóxica na comunicação de massa. A mídia, a liberal Hollywood e a indústria da música sempre vão expressar revolta com um incidente como o massacre de Rodger, mas, protegendo seus próprios filmes, séries e discos, elas são bem mais lentas para condenar o papel que a cultura popular tem na estrutura do problema.

O fato de que os incels estão saindo da esfera online e indo para a vida "real" é um reflexo da nossa perigosa era moderna, onde estamos enfrentando um sério risco de termos uma violência cada vez mais misógina contra as mulheres, com prováveis consequências fatais. E a mídia também carrega sua cota de responsabilidade, quando, por exemplo, define o ataque de Rodger como um resultado isolado de problemas de saúde mental (no capítulo 4, discuto as caracterizações midiáticas de violentos atos políticos como atos de "lobos solitários"), pois, embora poucos discordem que Rodger estava sofrendo de algum tipo de transtorno psicológico grave, a verdade é que não vamos encontrar um registro correlato de mulheres com questões de saúde mental cometendo atos massivos de violência contra os homens. Em outras palavras, se, por um lado, como discutimos no capítulo 1, a respeito dos mitos da masculinidade e o tema do "boy lixo", o escracho das mulheres em relação aos homens tem instigado uma comoção pública, a ponto dos homens argumentarem que a masculinidade está "em crise" e que precisa ser protegida, por outro lado também temos que as mulheres falarem abertamente sobre ideais sociais misóginos não levou ao assassinato em massa de homens por parte delas. Porque este não é, de maneira alguma, um jogo jogado por forças iguais, como alguns homens querem sugerir. E, portanto, quanto mais as violências misóginas forem classificadas como descontroles de um "lobo solitário", ao invés de serem vistas como um conjunto de crimes provocados pela disseminação de ideologias perniciosas, menos chance teremos de superar este abismo. O ataque de Elliot Rodger foi abominável, mas é neste tipo de incidente que vemos como a cultura do estupro, a misoginia e o patriarcado no final das contas levam alguns homens a perderem a cabeça — Rodger cometeu suicídio enquanto tentava fugir da polícia.

CULTURA DO ESTUPRO E CONSENTIMENTO

A cultura do estupro não quer dizer que todo homem sai cometendo agressões sexuais terríveis por aí, e sim que os homens deste mundo são cúmplices ao permitirem que outros homens cometam esses crimes — Elrick.

O aparecimento dos incels levanta várias questões sobre a cultura do estupro, e noções equivocadas sobre consentimento têm um papel fundamental aqui. Depois do movimento #MeToo, muitos argumentaram que o consentimento é uma conversa que precisa existir desde muito cedo, e meu pensamento segue na mesma linha: no meu ponto de vista, ele deve ser ensinado como parte da educação sexual. Enquanto verbete, o consentimento é definido como "manifestação favorável a que (alguém) faça (algo); permissão, licença", ou então "manifestação de que se aprova (algo); anuência, aquiescência, concordância".[4] No que diz respeito ao sexo, no entanto, ele significa concordar ativamente com a atividade sexual e, nesse sentido, é importante enfatizar que o consentimento é a presença de um sim, e não a ausência de um não, ou seja, apenas porque alguém não diz "não", não quer dizer que esse alguém te-

---

4 **Nota do tradutor:** Aqui, utilizamos uma definição extraída do dicionário Houaiss. No original, a definição foi retirada do dicionário Oxford e diz: "permission for something to happen, or agreement do to do something".

nha dito "sim", uma vez que existem muitas maneiras pelas quais uma pessoa pode paralisar e não dizer "não" em voz alta. O psicólogo James Hopper, inclusive, afirma: "Em meio a uma agressão sexual, os circuitos do cérebro responsáveis pelo medo governam nossos movimentos, e *travar* é uma resposta cerebral à detecção de perigo. Pense em um animal selvagem enxergando os faróis de um carro".[5] O que também é uma evidência empírica: muitas vítimas de agressões sexuais já vieram a público e descreveram essa exata reação. No limite, vemos ainda que a questão do consentimento se estende para além do estupro e chega às interações pessoais mais cotidianas, como, por exemplo, toques inapropriados ou cantadas, situações em que a mulher cede diariamente no seu consentimento por meio do abuso de poder pelo homem.

Em particular, uma sociedade patriarcal ensina aos homens duas coisas sobre o sexo com mulheres:

> 1. O sexo é transacional — ou seja, o sexo pode (como se fosse um direito básico do sujeito) ser adquirido por meio do dinheiro. É aquele cenário no qual um homem acha que pagar a conta do jantar deveria garantir a ele uma noite de sexo. Ou que qualquer tipo de despesa material ou financeira com uma mulher — ou mesmo o simples gesto de ser uma pessoa legal — deveria ter como recompensa uma interação sexual. Este é um pensamento que continua vivo, ainda que, na grande maioria, os homens não se comportem desta maneira em termos absolutos — ou melhor, muitos homens não pensam

---

5 HOPPER, James W. Why many rape victims don't fight or yell. **Washington Post.** 23 de junho de 2015. Disponível em: https://wapo.st/2yPplrM.

assim, mas aqueles que pensam podem não notar a conexão.

2. O sexo é negociável — ou seja, ele pode ser negociado. O "não" não quer dizer "não". Pelo contrário, quer dizer que o homem precisa se esforçar mais para fazer a mulher dizer sim. É um pensamento que aparece com bastante força em programas de televisão, em comédias românticas e em outras mídias de massa, vendendo a ideia de que o homem persistente vai eventualmente conquistar a mulher (ao invés de apenas ser o homem que esgotou a paciência dela e a fez ceder no seu consentimento ou autonomia, o que soa bem menos romântico e ideal).

É importante destacar que toda essa discussão não gira em torno da possibilidade do homem conseguir ou não fazer sexo, ela tem a ver com a dinâmica de poder no qual o sexo ocorre. Por exemplo, o trabalho sexual é um cenário no qual o homem, via de regra, paga às mulheres por sexo. A transação, neste caso, é diferente, não é o mesmo que conceber o sexo como transacional pelo fato do homem pagar a conta do jantar e esperar uma retribuição sexual em troca, e possui suas próprias particularidades. Quer dizer, ainda que o trabalho sexual levante questões sobre a segurança da mulher — e um grande fator aí é a criminalização da atividade, provocando condições arriscadas de trabalho —, essa é uma fonte importante de renda para muitas mulheres, em geral vindas das classes mais baixas. Muitos homens, no entanto, ao mesmo tempo em que acham normal *esperar* por sexo depois de pagarem a conta em um encontro, se opõem a recorrer a profissionais do sexo, alegando que pagar a uma mulher por sexo compromete a sua masculinidade. Ou seja, muitos homens não querem abertamente pagar por sexo, querem fazer parecer que a mulher se atraiu por eles independente do dinheiro — o que funciona até certo limite, porque, se eles "torraram uma grana" com a mulher, a expectativa de sexo retorna. Em paralelo, a ideia de que o sexo pode ser negociado se reflete nos dados sobre as profissões com os maiores índices registrados de assédio e agressão sexual. Mulheres em situações de vulnerabilidade, marginalizadas ou que enfrentam condições profissionais precárias, sem a adequada representação legal por parte de associações ou sindicatos, sofrem muitos mais casos de abusos no ambiente de trabalho: de acordo com uma pesquisa norte-americana, por exemplo, o setor de cuidados com a saúde e assistência social — uma área com forte presença de mulheres e, em particular, de mulheres negras — responde sozinho por 11,5% das queixas contra assédios sexuais.[6]

Não é um contexto promissor, em vários aspectos. De fato, muitos homens têm dificuldades em compreender até mesmo o conceito de consentimento, porque ele questiona um sentimento automático de direito adquirido cujos sinais de alerta eles nunca enxergaram como motivo de preocupação. E, assim, pedir a permissão das mulheres para seguir adiante se torna um detalhe irrelevante em uma sociedade na qual os homens escutam o tempo inteiro que os corpos femininos são acessíveis a eles — ou antes, que os corpos das mulheres, de muitas maneiras, funcionam *para* o entretenimento dos homens. Por outro lado, muitos homens parecem entender a importância do consentimento

---

6 **Nota para a edição brasileira:** Ainda que não traga dados consolidados sobre a situação nacional, este artigo do Tribunal Superior do Trabalho é bastante informativo sobre o tema: https://bit.ly/2SWsPzJ.

quando se trata das mulheres das suas vidas — mães, filhas, irmãs, etc. Alguns homens, inclusive, se tornam defensores ferrenhos da igualdade de gênero e do tratamento igual às mulheres quando se tornam pais de uma menina (pelo menos para proteger os interesses da própria família), com frequência alertando suas filhas para ficarem atentas e se afastarem de homens predatórios, ou dos homens de maneira geral. Eles manifestam um sentimento de dever em relação a elas, em contraste com suas posições anteriores, pautadas pelo condicionamento ou pela educação à não empatia, ainda que esse sentimento se dê pela posição relacional de posse. Isto é, no que diz respeito ao sexo e ao desequilíbrio de poder nos relacionamentos, os homens são extremamente conscientes do comportamento dos outros homens, mesmo daqueles presentes nos seus círculos pessoais.

Onde o consentimento não é dado, sem dúvida existe um estupro. Mas o estupro em si é frequentemente contestado, independente da gravidade da situação. Tanto que as declarações a seguir são exemplos corriqueiros do que é dito pelas pessoas ao ouvirem falar de um caso de violação sexual: "o que ela estava usando?"; "ela estava bêbada?"; "ela provocou o cara?"; "ela tinha um relacionamento com ele?" — várias e várias frases que retiram a responsabilidade do agressor e a colocam na vítima, em uma lógica na qual a vítima é sempre a culpada. E então eu me vejo pensando: essas perguntas, por acaso, são feitas em outros tipos de crime? Por exemplo, quando alguém tem suas coisas roubadas, elas escutam "você está bem?" ou "que horas foi que o roubo aconteceu?", e não "o que você estava vestindo?" ou "você tinha bebido demais?". Até porque sugerir que um estupro pode ser evitado com medidas de segurança tais como não se vestir de maneira "provocante", não ficar sozinha até tarde na rua ou não se embebedar apenas reforça a ideia de que os homens são predadores por natureza. É como se o estupro fizesse parte da configuração genética do homem e, portanto, se as circunstâncias forem favoráveis, o ataque nunca poderá ser contido — o que, mais uma vez, reforça a culpabilidade da vítima, colocando sobre as mulheres justamente a obrigação de não se tornarem vítimas, como se esta posição fosse um destino inevitável para elas.

Para entender melhor a gravidade da situação, basta analisar algumas estatísticas sobre estupros no Reino Unido, que são bastante assustadoras:

- Aproximadamente oitenta e cinco mil mulheres e doze mil homens são estuprados na Inglaterra e no País de Gales todos os anos, o que equivale a onze estupros por hora.
- Uma em cada cinco mulheres com idade entre dezesseis e cinquenta e nove anos já sofreu algum tipo de violência sexual.
- Quase 90% das mulheres estupradas foram agredidas por alguém que elas conheciam.
- Apenas cerca de 15% das pessoas que sofrem violência sexual no Reino Unido escolhem denunciar à polícia (e apenas um estupro em cada quatorze denunciados leva a uma condenação).[7]

---

7   **Nota para a edição brasileira:** De acordo com o Anuário Brasileiro de Segurança Pública, os números nacionais são de cerca de sessenta e seis mil casos de estupro apenas em 2018, uma média de cento e oitenta estupros por dia, além de outros sete mil casos de tentativas não consumadas. A maioria das vítimas era do sexo feminino (81,8%) e tinha até treze anos de idade (53,8%), sendo que 75,9% dessas vítimas foram estupradas por conhecidos. No Brasil, estima-se ainda que apenas 7,5% das vítimas denunciaram o crime à polícia (1). As estatísticas também são alarmantes nos Estados Unidos, onde mais de 70% da população feminina já sofreu abuso físico ou sexual de parceiros íntimos (2). E, no mundo como um todo, temos um quadro no qual uma em cada três mulheres sofre violência física ou sexual durante a vida, na maioria das vezes provocada por parceiros (3). **Fontes:** (1) https://bit.ly/2SX2nWK; (2) https://bit.ly/2YSk6lN; (3) https://bit.ly/2Wnqsbn.

Infelizmente, o estupro é uma questão que afeta mulheres de todas as idades no mundo inteiro. Ao mesmo tempo, outra questão muito séria é a dos homens vítimas de estupro. Esse problema muitas vezes passa despercebido, já que os homens estuprados sofrem com vergonha e constrangimento por verem a sua masculinidade comprometida — é como se eles fossem menos homens, como se fossem fracos ou anormais por recusarem sexo ou por terem sido subjugados. Assim, existem muitos casos de homens que não denunciam o crime, e também de homens que relatam terem sido ridicularizados em delegacias.

Curiosamente, em uma trama de 2018 da novela britânica *Coronation street*, um dos principais personagens do programa, David Platt (interpretado pelo ator Jack Shepherd), foi estuprado pelo seu treinador pessoal, Josh Tucker (interpretado pelo ator e ex-jogador de rúgbi Ryan Clayton), depois dos dois saírem para um encontro à noite. A história acompanhava a jornada de David através da vergonha por ter sido estuprado (por um homem) e do medo (de ter contraído HIV), além de abordar seu constrangimento e sua raiva, as complicações de conseguir uma acusação formal junto às autoridades e as dificuldades de confrontar o estuprador. Uma trama surpreendente que provocou muito alvoroço e discussões, já que este é um assunto raramente debatido, ainda mais por um programa de televisão em rede nacional. Sobre a produção, o ator Ryan Clayton, segundo o jornal The Sun, disse o seguinte: "Ela [a novela] é realmente muito bem escrita, e também é importante destacar a maneira como eles trabalharam com o Survivors Manchester [um grupo de apoio para homens e jovens vítimas de estupro na região de Manchester], eles trabalharam muito de perto. Então todos estão lidando com o assunto da mais forma realista possível".[8] E, com certeza, o fato do programa ter trabalhado com vítimas reais de estupro fez com que a abordagem do tema se tornasse muito mais poderosa, pois impediu a história de se perder em polêmicas vazias ou sensacionalismos, que era um caminho que a novela poderia ter seguido, e a produção no fim conseguiu representar uma experiência cotidiana vivida por pessoas de verdade. Isso é um grande avanço: meio século atrás, o estupro masculino sequer era considerado real — algo que vamos discutir no capítulo 6 —, e jamais teria esse espaço em uma novela tão popular.

Em última análise, o estupro continua existindo, nesse nível, em grande parte porque vivemos em sociedades que normalizam a *cultura do estupro*, ou seja, elas trivializam o abuso sexual. Para esta epidemia de estupros acabar, os jovens precisam ser ensinados sobre o consentimento como parte de uma educação sexual regular e precisamos de uma verdadeira estrutura de apoio para as vítimas, deixando para trás a série de humilhações que ainda hoje ocorre quando os crimes acontecem.

---

8 GREENWOOD, Carl. Coronation Street's Ryan Clayton defends dark rape storyline as Josh Tucker sexually assaults David Platt. **The Sun**. 16 de março de 2018. Disponível em: https://bit.ly/3cpd5gs.

CAPÍTULO 4
ESTE MUNDO É DOS HOMENS: A POLÍTICA DA MASCULINIDADE E A MASCULINIDADE DA POLÍTICA

Bom, aqui vai uma piadinha bem infame: o que Benito Mussolini (ex-primeiro-ministro da Itália, de 1922 a 1943), o general Augusto Pinochet (ex-presidente do Chile, de 1973 a 1990) e Mobutu Sese Seko (ex-presidente da República Democrática do Congo, de 1965 a 1997) têm em comum? São os cabelos feios? Os chapéus mal desenhados? Ou um senso estético meio desatualizado? Eu sei, é uma pergunta difícil, não é? E se acrescentarmos outros nomes a essa lista, como Idi Amin Dada (ex-presidente de Uganda, entre 1971 e 1979), o general Francisco Franco (ex-presidente da Espanha, de 1939 a 1975) e Kim Jong-il (ex-líder supremo da Coreia do Norte, de 1994 a 2011), fica um pouco mais claro? Não? Continua difícil? Pois então, a resposta é a seguinte: eles foram ditadores, e eram todos homens. Na verdade, a esmagadora maioria dos ditadores na era moderna, e também da história antiga, tem esse ponto em comum, todos eles são homens.

Minha família fugiu do regime ditatorial do presidente Mobutu na República Democrática do Congo, que na época se chamava Zaire, e se instalou no Reino Unido como refugiada política no início dos anos 1990. Essa ditadura foi um grande tema de conversas na nossa casa e na nossa comunidade congolesa durante minha adolescência, com as experiências sendo contadas em detalhes, às vezes em cores mais leves, às vezes em descrições apavorantes. Volta e meia eu escutava meus pais falarem sobre tanques rodando pela cidade, soldados atirando em civis, ativistas estudantis sendo jogados por tempo indeterminado na cadeia, ou recebendo o status de desaparecidos, além de várias conversas sobre as canções obrigatórias que eram cantadas em louvor a Mobutu, sobre descrições quase divinas de um líder supostamente onipotente e sobre as extraordinárias histórias mitológicas que surgiam, como, por exemplo, quando ele enfrentou e matou um leopardo com as próprias mãos, depois se autoproclamando Mobutu Sese Seo Nkuku Ngbendu Wa Za Banga, isto é, "o guerreiro todo-poderoso que, devido à sua resistência e vontade inflexível de vencer, vai de conquista em conquista deixando um rastro de fogo pelo caminho".

Eu costumava me perguntar: o que faz um homem querer acumular todo esse poder, o que faz um homem querer ser idolatrado de uma maneira tão cega? Ego? Cobiça? Controle? Individualmente, nenhuma das opções parecia responder a minha pergunta, mas, em conjunto, todas elas ajudavam a formar um quadro mais amplo. Quando fiquei mais velho, comecei a refletir melhor sobre como os meninos são educados para a autoridade e para a violência, lutando e brincando com arminhas e soldados de brinquedo como parte de jogos imaginários de guerra. E é um fato: a sociedade patriarcal normaliza a dominância masculina.

Não surpreende, portanto, que a maioria esmagadora

dos ditadores se enquadre na categoria de homens. Aliás, se formos analisar o curso da história até os dias de hoje, vamos perceber que os chefes de estado e líderes mundiais em geral são homens. E a mesma situação nas casas legislativas: números de um relatório das Nações Unidas apontam que apenas 24,3% de todos os membros de parlamentos nacionais são mulheres, o que, mesmo assim, ainda representa um aumento em relação aos 11% registrados em 1995.[1] Em junho de 2019, apenas onze mulheres atuavam como chefes de estado, e doze como chefes de governo, um dado curioso se pensarmos que existem cento e noventa e cinco países no mundo e que as mulheres equivalem a 49,6% da população mundial.

E temos um longo caminho pela frente, se quisermos mudar alguma coisa. A começar pela nossa relação com a violência. Lutas, guerras e conflitos ainda são, até certo ponto, idealizados em nossa cultura — por exemplo, por meio de videogames populares como *Call of duty*, *God of war* e *Halo*. O efeito desses jogos não é apenas a normalização da violência extrema, ou a criação de um espaço de contato social para os jovens, mas também o reforço constante da ideia do "Outro", que logo assume um caráter de inimigo. Muitos meninos crescem acreditando que sempre existe, e sempre existirá, alguém para se combater, incutindo neles uma mentalidade de "matar ou morrer", outro elemento da masculinidade tóxica. Essas pressões normalmente começam desde muito cedo e continuam reverberando até a vida adulta, em uma tradução que sai do mundo virtual e vai para o de carne e osso.

Me lembro de andar com um grupo de amigos no conjunto habitacional onde me criei na infância: um desses garotos disse que um amigo meu (vamos chamá-lo de James)

---

[1] UN WOMEN. **Facts and figures: leadership and political participation**. Disponível em: https://bit.ly/3bomRxT.

estava falando por aí que conseguia ganhar de mim em uma briga. Sem eu saber de nada, outros amigos estavam dizendo a James que era eu quem estava me gabando com a história de que ganharia dele. Fiquei confuso, pois eu achava que nós dois éramos amigos: por que James iria querer brigar comigo? Quando enfim nos encontramos, a resposta negativa que eu na época imaginava ser a mais adequada para lidar com certas situações, por meio da violência ao invés do diálogo, já estava me corroendo por dentro. James e eu brigamos, com o resto dos meninos olhando, torcendo e gritando, até que eventualmente fomos separados. Eu estava bastante relutante em entrar na briga, sabia que aquilo estava errado desde o começo, mas eu não queria ser o derrotado, a pessoa mais fraca. Porque, como tinham me ensinado muito bem, a violência era uma solução natural para se lidar com os problemas. Logo depois da briga, me desculpei com James — e por sorte nenhum de nós se machucou muito, porque nós dois éramos meninos esqueléticos que mal sabiam como dar um soco, muito menos causar um hematoma real um no outro —, e aí fizemos as pazes.

A maioria das crianças que é educada pela violência, através das brigas ou dos videogames, não vai de uma hora para outra liderar uma revolta armada ou deflagrar um conflito internacional. No entanto, a maneira como a sociedade normaliza a violência contra um "inimigo" impacta a maneira como nós, enquanto coletividade, justificamos atos de guerra ou conquistas e invasões militares por meio da construção de um "Outro" que precisamos dominar, ou de quem devemos supostamente nos proteger. Pense, por exemplo, na invasão ao Iraque em 2003, que levou a uma guerra na qual Saddam Hussein foi acusado de esconder "armas de destruição em massa" e, de imediato, se tornou um inimigo do Ocidente, com os Estados Unidos recebendo apoio do Reino Unido para impedir os supostos planos iraquianos de usar as armas em alvos estratégicos. Ou então pense na mais recente invasão militar na Líbia. Pense na maneira como muçulmanos, minorias étnicas e refugiados são constantemente enquadrados como ameaças pela sociedade ocidental, encorajando grupos de homens brancos como os alt-rights (parcela ultraconservadora da direita norte-americana) a bradarem por aí que estão protegendo "a nossa espécie". Na verdade, os homens são educados com tanta veemência dentro de uma lógica de guerra e de violência que acreditar que um dia veremos soluções ou linhas de ação não violentas sendo consideradas como uma forma superior de resolução de conflitos é quase uma utopia. Pelo contrário, a retórica dos líderes políticos muitas vezes faz pouco caso da violência e a oferece como uma solução rápida, e não como um último recurso indesejado — lembre-se do ex-senador John McCain, em sua campanha presidencial de 2008, cantando "Bomb, bomb, bomb, bomb, bomb Iran" ("Bombardeie, bombardeie, bombardeie, bombardeie, bombardeie o Irã") como paródia da música *Barbara Ann*, dos Regents (e depois gravada pelos Beach Boys). Ou então pense no atual presidente dos Estados Unidos, Donald Trump, e a sua retórica vulgar sobre uma guerra nuclear com a Coreia do Norte. Ou seja, não é exagero dizer que a arena política é um palco no qual desfilam fantasias masculinas sobre poder, violência e dominação. A consequência terrível desta conjuntura é que decisões de vida ou morte são feitas com base no ego. O abuso masculino do poder é perigoso em qualquer circunstância, e é duro percebermos como muitas vezes sua forma mais extrema aparece dentro da esfera política.

MULHERES: LÍDERES BENEVOLENTES POR NATUREZA?

Tem uma velha piada sexista que lembro de ouvir muito na minha adolescência: se as mulheres fossem a maioria dos líderes mundiais, elas passariam o tempo inteiro discutindo maquiagens e roupas, e não existiriam guerras, porque, ao invés de lutarem, as tais líderes mundiais apenas nunca mais falariam umas com as outras de novo. O irônico é que, no contexto desta piada, a paz é vista de certa maneira como um traço feminino, um traço mais fraco, e a guerra, na qual milhões de inocentes perdem suas vidas, é vista como uma forma natural de resolução de conflitos, uma saída mais forte, mais masculina e, assim, superior. Embora essa questão seja muito mais complexa do que eu consigo detalhar aqui, e a atividade diplomática exija uma discussão produtiva entre vários atores globais, os países resolvendo suas disputas nunca mais falando uns com os outros, à luz de tudo que está acontecendo no mundo neste momento, me parece ser uma política externa realmente progressista, ainda mais se comparada com a decisão dos Estados Unidos de liderar uma invasão militar que causou a morte de mais de meio milhão de pessoas.

Essa conversa, porém, levanta uma questão óbvia: como seria o mundo se as mulheres fossem a maioria dos líderes mundiais? Teríamos menos guerras e conflitos se de repente as mulheres se tornassem a maioria dos chefes de estado, presidentes e primeiros-ministros? Obviamente não temos como saber, até que isso de fato aconteça. No entanto, esse assunto ainda divide as pessoas. Isso se reflete até em um artigo jornalístico intitulado *Would the world be more peaceful if there were more women leaders?* ("O mundo seria mais pacífico se tivéssemos mais líderes mulheres?"), onde vamos ter a antropóloga da saúde Catherine Panter-

-Brick, da Universidade de Yale, alegando que presumir que o mundo seria mais pacífico é um estereótipo de gênero enquanto o psicólogo cognitivo Stephen Pinker, da Universidade de Harvard, argumenta que, ao longo da história, as mulheres têm sido e continuarão sendo uma força pacificadora.[2]

Para mim, o que acontece é que muitas das discussões sobre as lideranças femininas na política esquecem de considerar a seguinte questão: se as mulheres se tornassem a maioria dos líderes mundiais, mas continuassem operando dentro do imperialismo ocidental, do capitalismo e do patriarcado, por que deveríamos supor que alguma coisa iria mudar? Ainda existiria um "Outro", um inimigo, e, portanto, ainda existiriam guerras e conflitos. Na verdade, o que testemunhamos até agora é que muitas líderes políticas aprofundaram ou perpetuaram o patriarcado para conseguirem equilibrar o jogo com os homens, atingindo posições de liderança e no fim exercendo o poder da mesma maneira que os homens antes delas. Vamos pensar no caso de Margareth Thatcher, por exemplo. Ela foi apelidada de "Dama de Ferro" e foi a primeira mulher a assumir como primeira-ministra britânica, ganhando três eleições com o partido conservador, em 1979, 1983 e 1987, mas só teve sua popularidade de fato sustentada pelos parlamentares do próprio partido após ter liderado o país na Guerra das Malvinas, em 1982. Avançando até os dias de hoje, também podemos pensar em outra primeira-ministra conservadora, Theresa May, que foi acusada de facilitar um "abuso de mulheres patrocinado pelo estado", por meio do centro de detenção de imigrantes de Yarl's Wood, ao mesmo tempo em que a política de ambiente hostil lançada por ela en-

---

2   GLAUSIUSZ, Josie. Would the world be more peaceful if there were more women leaders? **Aeon**. 27 de outubro de 2017. Disponível em: https://bit.ly/3dJKWkb.

quanto era Secretária do Interior resultou na deportação de centenas de milhares de migrantes, incluindo o escândalo de Windrush.[3]

Mesmo em um mundo corporativo dominado pelos homens, em especial nos cargos mais graduados, que envolvem funções administrativas, as mulheres que apresentam traços mais "masculinos" ou cruéis, priorizando o ganho de dinheiro e não a empatia pelos colegas, são geralmente levadas mais a sério, com maior perspectiva de sucesso e uma presença mais efetiva em gerências e diretorias. E a cor da pele e a classe social entram em jogo aqui: se é possível apontar uma mulher com mais chances de galgar posições na escala empresarial e replicar as conquistas dos homens, esta mulher é a mulher branca de classe média. De todo modo, nunca é demais repetir, do ponto de vista da coletividade, existem muitos problemas que todas as mulheres são obrigadas a enfrentar, e raramente (para não dizer nunca) é dado às mulheres o privilégio de expressar sua "feminilidade" da mesma maneira que os homens são incentivados a demonstrar a masculinidade deles na esfera política e na corporativa. E o melhor alerta contra essa disparidade de tratamento aconteceu em 2010, quando a integrante do parlamento europeu Licia Ronzulli, da Itália, causou polêmica e enfrentou fortes reações por levar sua filha recém-nascida, Vittoria, a uma sessão de votação da União Europeia, em Estrasburgo, na França, que versava justamente sobre as condições de trabalho das mulheres.

---

3 **Nota do tradutor:** A hostile environment policy é "um conjunto de medidas administrativas e legislativas destinadas a tornar a permanência no Reino Unido o mais difícil possível para as pessoas sem a licença definitiva de residência, na esperança de que elas saiam 'voluntariamente'". O escândalo de Windrush, por sua vez, foi uma crise política em que diversas pessoas foram detidas e ilegalmente deportadas do Reino Unido em 2018, com algumas delas inclusive sendo cidadãs britânicas residindo no país há mais de quarenta anos.

OS HOMENS E
O EXTREMISMO POLÍTICO

O poder político é patriarcal e o poder patriarcal é político. Ou melhor, a dominação masculina através do espectro político é um instrumento de poder. E visões ideológicas opostas, que de modo geral são vistas como posições contrárias do mesmo sistema, com frequência têm uma característica em comum: a masculinidade. Neste cenário, o porquê de tantos homens jovens se radicalizarem — seja por meio do jihadismo, do neonazismo, dos movimentos de supremacia branca, como os alt-rights, ou pela intervenção de qualquer outro movimento político violento centrado nos homens — é uma questão que tem sido menosprezada, especialmente na grande mídia. Em outras palavras, não é uma coincidência que, no seu livro *Healing from hate: how young men get into — and out of — violent extremism* ("Curando-se do ódio: como homens jovens entram — e saem — do extremismo violento"), o sociólogo Michael Kimmel argumente que a masculinidade é a principal causa para tantos jovens continuarem a entrar em movimentos políticos violentos — a masculinidade é a cola social que mantém todas essas identidades unidas.

Kimmel acredita que os jovens envolvidos nesses movimentos carregam um sentimento de "direito lesado",[4] por acharem que não receberam aquilo que, por princípio, tinham o direito de receber, isto é, que eles não receberam as regalias que esperavam ganhar pelo fato de serem homens. Como resultado, muitos indivíduos consideram que a sua masculinidade está em perigo e que, portanto, devem tomar medidas extremas — normalmente violentas — para protegê-la. Um exemplo de tal mentalidade está muito

---

4 KIMMEL, Michael. **Healing from hate: how young men get into — and out of — violent extremism**. Oakland: University of California Press, 2018.

bem descrito em um artigo do Washington Post intitulado *How masculinity, not ideology, drives violent extremism* ("Como a masculinidade, e não a ideologia, estimula o extremismo violento"). Nele, a jornalista Dina Temple-Raston relata a trajetória de um adolescente do estado de Minnesota que vendeu o pouco que tinha (iPhone, tênis e computador) para comprar uma passagem para a Turquia e depois ir à Síria para se unir ao Estado Islâmico. O rapaz dizia: "Eu achava que estava lutando ao lado de um povo oprimido... Que eu iria enfrentar outro exército... Era como se eu estivesse fazendo um gesto realmente nobre, isso me dava sentido". Mas, no fim, o adolescente acabou sendo preso pelo FBI, acusado de terrorismo.[5]

Do outro lado do espectro político, temos a retórica do quadragésimo quinto presidente dos Estados Unidos, Donald Trump, que, durante toda a campanha eleitoral, usou um discurso sexista e racista para atrair e ganhar apoio dos homens brancos norte-americanos (e também das mulheres brancas norte-americanas, que constituem 53% do seu eleitorado), uma parcela da população bastante descontente com a sensação de que seus direitos e privilégios estavam sendo ameaçados. Trump — também chamado de Ronald McDonald Trump, Agente Laranja e, por um dos meus apelidos favoritos, Cheeto Benito —, disse o seguinte em resposta ao movimento #MeToo e às alegações de agressão e má conduta sexual apresentadas contra um indicado à Suprema Corte, o juiz Kavanaugh: "Esses são tempos muito assustadores para os jovens homens nos Estados Unidos". O que ele estava querendo dizer? Bom, o que Trump estava chamando de assustador é a ideia dos homens enfim serem responsabilizados pelos seus atos do passado, pelos

---

5 TEMPLE-RASTON, Dina. How masculinity, not ideology, drives violent extremism. **Washington Post**. 22 de março de 2018. Disponível em: https://wapo.st/2Z2sPCi.

seus atos do presente e por suas ações do futuro, a subversão do cenário atual, onde os homens ainda podem com facilidade sair impunes das suas transgressões (e vamos ser claros: ele está falando bem especificamente dos homens brancos). Pois é, serem responsabilizados pelas suas ações é "assustador" para os homens jovens nos Estados Unidos; as jovens do país, por outro lado, temem pela violência de gênero: estupro, abuso sexual e assédio. Não dá para comparar uma coisa com a outra.

A prestação de contas é realmente o momento mais temido por aqueles que se aferram aos seus direitos e privilégios, porque eles sabem que ter cada uma das suas ações fiscalizadas é uma prerrogativa dos pobres, dos oprimidos e dos desamparados — eles sabem muito bem que ser privilegiado é não ser julgado. E o julgamento em geral recai sobre as mulheres, e não sobre os homens. Em uma sociedade patriarcal, as mulheres são responsabilizadas com ostensiva regularidade, a ponto de serem agressivamente culpadas por coisas pelas quais elas não são responsáveis, mesmo no âmbito político, onde é comum vermos as falas e ações sofrerem um escrutínio muito mais rigoroso quando partem de uma mulher. Tanto que é uma pergunta recorrente: e se uma mulher tivesse usado a mesma retórica de Donald Trump? Não é lá muito verossímil imaginar que ela continuaria na Casa Branca por tanto tempo quanto ele, talvez ela não conseguisse nem mesmo se eleger. E é, na verdade, uma comparação até difícil de visualizar. Para chegarmos nela, no entanto, basta observarmos toda a vigilância em torno de Hillary Clinton: embora ela não seja de maneira alguma uma política sem defeitos, Hillary Clinton recebia olhares muito mais críticos do que os direcionados para Trump quando sua campanha eleitoral "saía dos trilhos". E temos também Alexandria Ocasio-Cortez, congressista norte-americana do partido democrata, de origem latina, que enfrenta constantes abusos com base em questões de gênero. Ainda assim, no final das contas, a conclusão é uma só: independente de serem homens ou mulheres concorrendo para os cargos de liderança política, todos eles estão tomando decisões que afetam muitas e muitas pessoas ao redor do planeta e portanto devem ter seus atos avaliados de maneira igualitária.

O que nos traz de volta para um dos elementos centrais do problema. Neste nosso deteriorado contexto, cada vez mais homens estão cometendo atos políticos de violência nos Estados Unidos, o que é reflexo de um complexo processo histórico. No entanto, o que vemos é que, embora o terrorismo seja constituído por atos de violência em busca de objetivos políticos, a mídia não é capaz de compreender as barbáries provocadas por homens vinculados a movimentos de supremacistas brancos como terroristas. Pelo contrário, a mídia perpetua a ideia de que atos terroristas são ações politicamente violentas cometidas somente por minorias muçulmanas — quando, por exemplo, temos um evidente ato de terrorismo doméstico em casos como o de Cesar Sayoc, o "Homem-Bomba dos Correios", que, em outubro de 2018, foi acusado de fazer ameaças e enviar dispositivos explosivos a proeminentes políticos democratas, a figuras ligadas à filantropia e à sede da CNN em Nova Iorque (um ataque contra alvos que se apresentam como declarados oponentes de Donald Trump, diga-se de passagem). Na prática, esses atos políticos de violência são rotulados como crimes executados por "lobos solitários", ou seja, alguém que age sozinho e não é motivado por uma ideologia política. Mas quantos ataques violentos de lobos solitários vamos ter que aguentar até que as pessoas finalmente associem uma ideologia política a eles? Não importa que essa violência seja fundamentada na supremacia branca ou em questões de gênero, ou até em ambos, esses atos são políticos e se desenvolvem através de pactos de masculinidade, e não através de lobos solitários.

De fato, homens em todo o mundo estão recorrendo à violência política como uma maneira de se reconectar com a sua masculinidade, na esperança de se sentirem empoderados e "fortes", achando que assim vão alcançar o ideal de como um homem deve ser: alguém que luta pelo que acredita, alguém que arriscaria sua vida e/ou tiraria uma vida para proteger o que considera ser dele. O problema é que, neste caso, o que está sendo retirado dos homens é o sentimento de direito adquirido, justamente o que, na própria base da questão, provoca esse tipo de violência política.

E aí é inevitável dizer: a verdade é que o patriarcado mutila o poder da maioria dos homens. Claro, é um sistema que concede privilégios ao sexo masculino, mas ele não favorece todos os homens da mesma forma — os benefícios do patriarcado são reservados apenas para poucos integrantes de uma elite, uma suposta classe superior de homens, como vamos discutir nos capítulos 6 e 7. O resto basicamente precisa batalhar pelas sobras, o que, de modo geral, se traduz como uma ilusão ou uma falsa noção de direito adquirido, um sentimento de privilégio e uma falsa percepção de superioridade, em especial na política, já que aqueles que decidem as guerras e os conflitos diplomáticos nunca são os mesmos que lutam e morrem nos combates. Para piorar, assim como o patriarcado enfraquece os homens, ele enfraquece as mulheres em um grau ainda maior. E, por isso, muitos homens se agarram a essa ilusória sensação de direito e privilégio, como uma maneira de se sentirem superiores às outras pessoas. É como estar preso em uma casa em chamas, mas sem entrar em pânico ou procurar uma saída, simplesmente porque você ainda não está pegando fogo.

CAPÍTULO 5
SE EU FOSSE UM MENINO: IGUALDADE DE GÊNERO E FEMINISMO

"O feminismo é a noção radical de que as mulheres são seres humanos", escreveu Marie Shear, escritora, editora e ativista política, em um informativo chamado *New directions for women* ("Novas direções para as mulheres"), em 1986. Na superfície, parece ser uma frase bem simples e direta, por isso a detectável ironia quando ela fala em "noção radical". Mas as pessoas costumam reagir a uma afirmação como essa de duas maneiras. Algumas vão argumentar que "obviamente as mulheres são seres humanos" e nunca vão levar em consideração — ou vão até mesmo desprezar por completo — a opressão estrutural e sistemática que as mulheres enfrentam em uma sociedade patriarcal, essa sociedade que classifica os indivíduos do sexo feminino como sendo inferiores aos homens, ou seja, como se fossem seres humanos inferiores. Do outro lado, é bem provável que a gente encontre as pessoas que concordam que, sim, as mulheres são seres humanos, mas que, embora objetivamente seja este o caso, esta condição ainda não se reflete na nossa sociedade.

Quando eu era um jovem adolescente, na transição de um milênio para o outro, eu desconhecia totalmente o que queria dizer o conceito de igualdade de gênero em nível estrutural, o que vamos discutir neste capítulo. Claro, eu conhecia os papéis e as expectativas em relação ao gênero, e as supostas diferenças entre homens e mulheres, assuntos quase inquestionáveis no meu cotidiano local. Mas eu cresci em uma casa com uma mãe, um pai e cinco meninos, e minha mãe tomou todas as providências para que nós soubéssemos cozinhar e limpar, pois ela achava que era importante que a gente contribuísse para as tarefas domésticas, independente do gênero. Cresci vendo meu pai indo para o trabalho e minha mãe se virando como dona de casa. Em outros tempos, no entanto, vi minha mãe sair para trabalhar e era meu pai quem cuidava da família.

Naquela época, eu achava que todo mundo era criado em um esquema assim. Só quando fiquei mais velho é que, aos poucos, tomei consciência de como saber cozinhar e limpar era visto como exemplar para um homem, uma habilidade fora do normal. E foi meio que um choque perceber como muitos dos homens no meu antigo círculo social não se empolgavam nem um pouco em cuidar da casa, para dizer o mínimo, esperando que a função fosse exercida pela mulher mais próxima nas suas vidas — uma melhor amiga, uma namorada ou mesmo a mãe. Essa expectativa de que as mulheres precisam realizar seus "deveres" é apenas um entre os muitos absurdos que validam o tratamento das mulheres como seres humanos inferiores e, pior ainda, como objetos, que logo se transformam em objetos de serviço. E, com o passar do tempo, perceber essa dinâmica começou a me inquietar, de um jeito que de repente me vi cheio de perguntas sobre por que os meninos ou as meninas podiam ou não realizar determinadas atividades. A maioria das pessoas me respondia com um genérico "é como a vida é". Mas foi lendo livros sobre igualdade de gênero e feminismo que eu realmente obtive as respostas para as questões mais angustiantes em relação ao assunto.

O QUE É O FEMINISMO?

Eu li *O feminismo é para todo mundo*, da acadêmica e ativista bell hooks, no final da adolescência, e ele respondeu várias das minhas perguntas sobre igualdade de gênero e feminismo. Foi através deste livro que me dei conta de que, lá atrás, se alguém me perguntasse se eu queria acabar com o sexismo, com a exploração sexista e com a opressão, eu diria que sim. Mas, se alguém me perguntasse se eu era feminista ou se eu concordava com o feminismo, então eu hesitaria, talvez até discordasse. Este meu dilema pessoal, no entanto, revela mais sobre como a ideologia é interpretada pelas pessoas do que sobre a ideologia em si. E o feminismo é muitas vezes retratado pelos seus críticos como uma ideologia antimasculina, como um movimento que essencialmente busca livrar o mundo dos homens, já que os homens são os responsáveis por todos os problemas entranhados na sociedade. Quando, na verdade, o que temos é o que bell hooks escreve em *O feminismo é para todo mundo*: "Em resumo, o feminismo é um movimento para acabar com o sexismo, com a exploração sexista e com a opressão. [...] Eu adoro esta definição porque ela claramente quer mostrar que não é um movimento anti-homens, é uma definição que expressa o quanto o sexismo é o grande inimigo".[1]

---

[1] HOOKS, bell. **Feminism is for everybody: passionate politics**. Londres: Pluto Press, 2000. O livro foi publicado no Brasil, em 2018, com o título *Feminismo é para todo mundo: políticas arrebatadoras*.

Ou seja, o ponto de vista de hooks sobre o feminismo é intrinsecamente conectado a uma luta contra a opressão estrutural e sistemática das mulheres na sociedade. Até porque, embora muitos homens estejam cientes das normas e expectativas de gênero, na medida em que elas interferem no cotidiano de cada um, como aconteceu na minha adolescência, eles não entendem o porquê do feminismo ainda ser necessário no mundo moderno, tratando o movimento como uma ideia antiquada — um flashback de quando as mulheres começaram a votar ou de quando eram exclusivamente relegadas aos serviços domésticos. Pense, por exemplo, naquelas discussões em que escutamos a seguinte frase: "Mas hoje temos mulheres na política". E, de fato, temos, com certeza, mas será que as coisas mudaram de verdade? As mulheres ainda são bastante oprimidas na sociedade moderna, em especial as mulheres negras da classe trabalhadora, como comprovam as estatísticas mundiais, extraídas de uma publicação da ONU Mulheres:[2]

- Na comparação com os homens, as mulheres têm mais chances de ficarem desempregadas.
- Globalmente, as mulheres ganham salários menores do que os homens. A diferença de renda por gênero é estimada em 23%.
- Muitas mulheres sofrem a pressão de enfrentar uma jornada dupla, obrigadas a conciliar o trabalho formal com cuidados com a família e a casa.
- As mulheres têm menos chances de acesso a estruturas legais de proteção e assistência: no mundo, estima-se que 40% das mulheres assalariadas sequer têm algum tipo de acesso à proteção social.

2 UN WOMEN. **Facts and figures: economic empowerment**. Disponível em: https://bit.ly/2X6Dp8B.

- A degradação ambiental e as mudanças climáticas têm impactos desproporcionais sobre as mulheres e as crianças: em todo o mundo, as mulheres têm quarenta vezes mais chances de morrerem em um desastre do que os homens.
- A maioria das mulheres migrantes realizam serviços precários ou de pouca capacitação, caracterizados por baixos salários, más condições de trabalho, proteções trabalhistas e sociais limitadas e exposição à violência física e sexual.

PRIVILÉGIO MASCULINO

Não tenho tanta certeza de que os homens estão dispostos a se sacrificar. Se nós, como homens, reconhecermos o fato de que temos status e poder e privilégios, também estamos preparados para renunciar a isso tudo? Eu conheço algumas mulheres dispostas a se sacrificar, mas não sei se os homens estão dispostos a largar o osso — Adam.

O conceito de privilégio masculino se refere às vantagens e direitos sociais, econômicos e políticos que são disponibilizados aos homens como consequência do seu sexo. E o curioso nesta história é notar como o feminismo é visto como sendo contra os homens ou uma ameaça a eles, quando, na verdade, está apenas centrado nas dificuldades das mulheres. Nós conhecemos bem o padrão: muitos homens têm uma resposta instintiva ao assunto, temendo a perda das suas liberdades. Mas o que o feminismo quer é basicamente equilibrar o jogo, criando um mundo no qual as mulheres não tenham mais chances de sofrer, ou até mesmo de morrer — como as estatísticas revelam —, pelo simples fato de serem mulheres. As feministas como hooks não querem transferir as situações brutais para os homens, e sim impedir que tais violências aconteçam a qualquer outro ser humano.

Ao mesmo tempo, as feministas não querem apenas criar uma sociedade mais igualitária para as mulheres, elas também lutam pelos direitos dos homens. O feminismo é, na verdade, positivo para os homens, porque busca curar os indivíduos e remover as pressões que a sociedade patriarcal impõe a todos nós, em especial os falsos dogmas e as imposições da masculinidade, além de atuar contra a generalizada destruição política e social que o patriarcado provoca: uma destruição que potencializa os casos de colapso mental, e que amplamente se relaciona com a proporção alarmante de suicídios entre os homens.

Não à toa, em sua performance *Prometheus vol. 3*, lançada em agosto de 2018, o popular comediante escocês Frankie Boyle diz o seguinte a respeito do feminismo:

> Vou dizer honestamente a vocês o que eu acho do feminismo... Eu acho de verdade que, se você for um cara jovem hoje em dia, o feminismo é a única coisa que oferece um plano. O capitalismo está pouco se fodendo pra você, e o materialismo não tá nem aí pra saber se você tá vivo ou morto. O feminismo inclui você. E, quando eu vejo uns caras, ainda mais os jovens, atacando o feminismo, sabe o que isso me parece? Parece quando os bombeiros vão em algum conjunto habitacional bem barra-pesada e são apedrejados. É isso que você está fazendo, você está apedrejando os serviços de resgate.

Quando tivermos mais mulheres inseridas no mercado de trabalho e quando homens e mulheres receberem o mesmo salário pelo mesmo tipo de serviço, a mudança não vai apenas aquecer a economia, é também um movimento que vai remover do homem a pressão de ser o único provedor da família (um papel previsto pelo patriarcado), dando mais autonomia tanto aos homens quanto às mulheres. E, nesse processo todo, outras áreas importantes podem ser afetadas. Muita gente não sabe, por exemplo, mas ativistas feministas lançaram em 2011 uma campanha chamada *Rape is rape* ("Estupro é estupro"), exigindo das autoridades uma nova definição que refletisse as realidades do estupro, incluindo a violência sexual sofrida por meninos e homens, já que a classificação anterior era a mesma desde 1929. Também não podemos esquecer das feministas negras, que ostensivamente lutam pelos direitos dos homens negros. Como escreveu Audre Lorde:

> Quero ver um homem negro que não aceite e nem seja destroçado pelas corrupções que os brancos, desejando tanto a destruição dele quanto a minha, chamam de *poder*. Quero ver um homem negro que reconheça que os objetos legítimos da sua hostilidade não são as mulheres, mas as particularidades de uma estrutura que o obriga a temer e desprezar as mulheres, assim como o obriga a temer e desprezar ele mesmo enquanto negro.[3]

HOMENS: PREDADORES OU PROTETORES?

De muitas maneiras, os homens sabem que a sociedade é diferente para eles e para as mulheres, eles sabem

---

3 LORDE, Audre. **Sister outsider: essays and speeches**. Berkeley: Crossing Press, 2007.

que os homens representam uma ameaça às mulheres, e que a dinâmica do poder está constantemente presente na vida cotidiana. Isso é reforçado de uma forma muito sutil nas nossas performances públicas de masculinidade. Tanto que, no que diz respeito às mulheres e garotas das nossas vidas — como filhas, irmãs, sobrinhas, primas e mães —, muitas vezes entra em ação um instinto defensivo e protetor. E, neste tópico, a cultura popular, incluindo o cinema, tem um papel importante na elaboração de uma psique masculina, assim como na continuidade da dicotomia dos homens como "predadores" e as mulheres como donzelas em perigo que precisam de proteção. Este esquema é muito bem representado em uma cena do filme *Os bad boys II* (2003), com Will Smith e Martin Lawrence interpretando os detetives Mike Lowrey e Marcus Burnett. Um rapaz chamado Reggie chega para sair com a filha de Marcus Burnett, Megan. Reggie está na entrada da casa e o detetive Burnett abre a porta com violência. E a cena segue assim:

> **Detetive Burnett:** *Quem é você, diabo?*
> **Reggie:** *Oi, sr. Burnett. Sou Reggie.*
> **Detetive Burnett:** *O que você está fazendo aqui?*
> **Reggie:** *Eu vim levar a Megan pra dar uma volta.*
> **Detetive Burnett:** *Quantos anos você tem?*
> **Reggie:** *Tenho quinze, sr. Burnett.*
> **Detetive Burnett:** *FDP, você parece ter trinta.*

O detetive Burnett então empurra Reggie contra a parede e apalpa o garoto por todos os lados fazendo uma revista. O detetive Mike Lowrey chega e continua com o mesmo interrogatório de Burnett.

Detetive Lowrey: *Você sabe brigar?*
Reggie: *Sei.*
Detetive Lowrey: *Você sabe brigar?* (Lowrey então faz de conta de que vai dar um soco em Reggie.)

Ele não sabe brigar.

Detetive Burnett: *Mike, Mike...*
Detetive Lowrey: *Não, para com isso. Se alguém vai sair com a minha sobrinha, quero saber se o FDP consegue brigar. Alguém pode chegar neles e encher o saco, e, se o FDP não sabe brigar, então ela não pode sair.*
Detetive Burnett: *Esse é o padrinho de Megan. Ele acabou de sair do xadrez.*
Detetive Lowrey (puxa uma arma e começa a sacudir o negócio no ar): *Eu acabei de sair da cadeia e não vou voltar pra lá. Qual é o seu problema, hein* (falando com Reggie)*? Você fica aí, todo assustado, nunca viu uma arma antes, não?*
[...]
Detetive Burnett: *Traga a minha filha pra casa às dez da noite, entendeu? Se ela não chegar em casa às dez da noite, eu vou estar no carro, com a arma carregada, e eu vou caçar o seu rabo de merda.*

No fim, a esposa do detetive Burnett, Theresa, chega à porta com Megan e cumprimenta Reggie com bastante simpatia, dando a ele as boas-vindas e se desculpando pelo comportamento abestalhado dos detetives. Antes que Reggie entre na sala, no entanto, o detetive Burnett cochicha mais uma coisinha no seu ouvido:

Detetive Burnett: *Você é virgem?*
Reggie: *Sou.*
Detetive Burnett: *Ótimo. Continue assim. Hoje não vai ter porra de putaria nenhuma!*

    Lembro de ver essa cena específica na adolescência com meus amigos e meus irmãos, e lembro também de toda a brincadeira sobre como a gente emularia esse tipo de protecionismo masculino com as nossas hipotéticas filhas não nascidas. O que ilustra bem a questão: interações como essas indicam que os homens implicitamente sabem que os outros homens representam uma ameaça, ainda mais quando são homens que eles não conhecem, ou que não tenham o carimbo de "aceitável" — como Reggie nessa cena de *Os bad boys II*. Só neste trecho curto, por exemplo, Burnett e Lowrey fazem referência ao visual, à capacidade de briga e à sexualidade de um garoto de quinze anos de idade. E essa é uma abordagem comum, que mostra como os homens muitas vezes enxergam a identidade masculina ao mesmo tempo como "predadora e protetora". O problema é que, embora muitos homens estejam a par da desigualdade de gênero, eles são investidos do privilégio masculino ao redor, ou seja, o fato deles quererem proteger as mulheres — em geral da sua própria família, como essa cena do filme mostra — não necessariamente quer dizer que eles queiram rever o papel que assumem na perpetuação da misoginia. E aí não dá: se os homens querem fazer do mundo um lugar mais seguro para as pessoas que amam, eles precisam tomar consciência da humanidade de todas as mulheres, e não apenas das mulheres da sua família.

HOMENS FEMINISTAS?

Se os homens podem ou não se identificar como feministas, é uma questão que rende debates calorosos. No entanto, penso que, na condição de homem, compreender os princípios essenciais do feminismo e a questão da igualdade de gênero talvez seja bem mais importante do que se rotular como feminista. Como foi explorado neste capítulo, o feminismo enquanto ideologia é uma resposta para estruturas danosamente opressoras, que afetam tanto as mulheres quanto os homens. E, na verdade, o feminismo se preocupa mais com os homens do que qualquer outro movimento masculino na atualidade, como o *Movimento pelos direitos dos homens*, um movimento no qual os seus ativistas são notoriamente antifeministas, com seus membros alegando que "os jovens deveriam estar furiosos" com o feminismo[4] e todo um discurso que encoraja uma mentalidade agressiva entre os homens, em forte contraste com os propósitos do feminismo, que incentivam os homens a se libertarem da sua toxicidade.

Um homem que identifique a si mesmo como feminista pode gerar diversas reações. Muitas vezes, quando essa autoidentificação acontece, é comum vermos outros homens menosprezando o tal sujeito — a ponto de podermos dizer que, em certo sentido, este é um gesto que emascula o homem entre os demais integrantes do grupo. Alguns homens (e algumas mulheres) inclusive acham que os caras que se identificam como feministas estão só tentando conquistar as mulheres, fingindo que se importam. Entre algumas mulheres, por outro lado, um homem que identifique a si mesmo como feminista é logo valorizado e apontado como um aliado — e às vezes também temos alguns

---

4   WHYTE, Lara. "Young men should be furious": inside the world's largest gathering of men's rights activists. **Open Democracy**. 25 de julho de 2018. Disponível em: https://bit.ly/2WlfJbz.

homens identificados como feministas tirando vantagem desta situação. Por exemplo, quando surgiu o movimento #MeToo, muitas mulheres compartilharam com o público suas experiências enquanto vítimas de homens aproveitadores, e ficou claro que os abusos e assédios não ocorriam apenas com homens misóginos ou hostis às mulheres, mas também com homens que se identificavam como feministas. E essa dissonância é parte do motivo pelo qual eu não necessariamente me identifique como feminista, ou ache que os homens devem com certeza assumir este rótulo para si. Até porque os homens não devem ser recompensados por fazerem o básico, que é tratar as mulheres ou qualquer outra pessoa como seres humanos. Este deve ser o ponto de partida da conversa, e não o ápice. Isso só pode mesmo nos levar ao seguinte pensamento: os homens devem trabalhar com — ou entre — outros homens para desmantelar o patriarcado e rejeitar a masculinidade tóxica, lembrando sempre que, quando bell hooks afirma que o "feminismo é para todo mundo", ela destaca o fato de que o feminismo não é apenas um trabalho para as mulheres, e nem tão somente para beneficiá-las, e, nesse sentido, as mulheres não estão lutando para tomar nada dos homens — elas estão lutando para reeducar o mundo e reimaginá-lo sem desigualdade. E, portanto, é importante enfim compreendermos que ter uma sociedade com um equilíbrio justo e igualitário para os gêneros, em termos de direitos, acessibilidades, tratamentos, benefícios e tudo mais, é algo pelo qual todos nós devemos realmente lutar.

CAPÍTULO 6
VEJO VOCÊ NA ENCRUZILHADA: INTERSECÇÕES DA MASCULINIDADE

> *É uma ficção, essa coisa de... Bom, essa coisa de que, se você é um homem, então você é assim e pronto... Uma das coisas que estou começando a entender é que não existe homem ou mulher, você é apenas um ser com várias partes dentro compondo essa pessoa que você é... Acho, inclusive, que a ideia de "homem", para mim, está ficando cada vez menos importante* — Ned.

Os homens são diferentes das mulheres, mas os homens também são diferentes dos homens. Quando pensamos no que seria a definição possível do que é um "homem", várias imagens genéricas acabam povoando o nosso imaginário coletivo. E é bem provável que a gente se pegue imaginando alguém alto, atlético, com ombros largos, uma voz grave, de uma etnia ou sexualidade específica — o que, pelo menos de acordo com a convenção vigente, seria um homem branco hétero. Não satisfeitos, nós ainda vamos projetar neste hipotético homem as nossas ideias de como ele deve ser e de como ele deve agir, e qualquer outro comportamento vai ser visto como um desvio da norma. A grande questão, no entanto, é a seguinte: considerando que vivemos em um mundo com mais de sete bilhões de pessoas, e que metade desta população é do sexo masculino, é impossível que exista somente uma única maneira de ser um homem — essa visão globalizada e singular da masculinidade é muito mais um projeto de culturas e ideologias hegemônicas, que tentam impor suas crenças e entendimentos sobre outras nações e culturas. Ser um homem não é um teste padronizado que os homens respondem em determinada idade, com uma nota de corte estabelecendo os que ficam abaixo ou acima do modelo de referência. Pelo contrário, ao invés de existir uma regra totalitária para a masculinidade, precisamos ter uma mente aberta para podermos compreender que existem lindas variações da masculinidade e da virilidade e que, embora a tal identidade masculina possa se manifestar de maneira central no sujeito, isso não faz da pessoa mais ou menos homem.

OS EIXOS DA OPRESSÃO

Quando analisamos como a estrutura da sociedade impacta as vidas dos seus cidadãos com base nas suas identidades, vemos que, muitas vezes, apenas uma única identidade é considerada. Ou seja, quando olhamos para as experiências de uma mulher, frequentemente analisamos somente o gênero, ou, quando observamos as experiências de gays e lésbicas, pensamos somente na sexualidade — nós nos apegamos aos traços imediatos. Mas somos pessoas complexas, com várias camadas, e vários elementos das nossas identidades condicionam o modo como a sociedade nos trata, pois esses elementos têm relação direta com as diferentes repercussões dos sistemas sociais em nossos cotidianos. Em outras palavras, partes das nossas identidades se sobrepõem, algumas nos dando vantagens ou privilégios, enquanto outras partes nos oprimem e formam obstáculos ou barreiras variadas. É aqui que entra o conceito de "interseccionalidade", criado pela feminista Kimberlé Crenshaw para descrever como as instituições repressoras se interseccionam para subjugar as mulheres negras na sociedade, de onde podemos extrair a ideia sobre os vários eixos de opressão e assim explorar as diferentes posições que os homens assumem na sociedade.

Sendo um jovem homem negro, hétero, da classe trabalhadora, com formação universitária e morando em Londres, sou privilegiado na minha condição de homem. Sou privilegiado por ter uma formação universitária e por viver na capital inglesa. No entanto, a prevalência global do racismo faz com que eu seja tratado de maneira diferenciada devido à cor da minha pele — o que pode variar de intensidade, incluindo desde desvantagens sistemáticas até as percepções das outras pessoas a meu respeito. Eu cresci e moro em Londres, o que me dá mais acesso a oportunidades de emprego se comparado com alguém que mora no nordeste da Inglaterra, uma área há décadas carente de recursos financeiros e que tem uma das maiores taxas de desemprego do Reino Unido. Porém, ser um refugiado teve um impacto amplamente negativo na minha realidade: eu não tinha uma posição jurídica definida e muitas coisas me foram negadas, como, por exemplo, viagens e educação. Eu também me identifico como homem, e sou um homem musculoso. Por isso, de modo geral, eu não preciso me preocupar quando ando de transporte público, nem preciso descer em uma estação diferente porque a mais próxima não é acessível a cadeirantes, como acontece com homens com limitações físicas. E são muitas variáveis: outras considerações precisariam ser colocadas na balança se eu fosse um homem gay, ou um homem trans, ou um homem de classe média, com uma educação no ensino privado, e assim por diante. Quer dizer, a identidade de cada pessoa traz um conjunto diferente de privilégios ou de complicações — e muitas dessas características surgem a partir da estrutura e dos sistemas da sociedade. Isso não significa que a vida é inerentemente mais ou menos complicada se você possui um ou outro aspecto de uma identidade, da mesma maneira que não é nada produtivo transformar essa discussão em algum tipo de olimpíada comparativa de opressões, pois seria um jogo limitado na sua abordagem, para dizer o mínimo. Mas ressaltar as nuances é essencial para compreendermos como as nossas experiências diferem umas das outras como resultado das nossas identidades, para não falar no quanto essa crítica nos revela sobre as estruturas hierárquicas da sociedade. Essa análise estrutural é enfatizada por Crenshaw quando ela cunhou a interseccionalidade como um "processo de reconhecer como social e sistêmico algo que foi anteriormente percebido como isolado e individual".[1] Isso nos leva a concluir: no final das contas, os homens são homens, e o patriarcado é o patriarcado, mas as traves do gol são posicionadas em campo de acordo com a cor da pele, a classe, a sexualidade e por aí vai. Logo, quando nos referimos aos "homens" enquanto uma maioria ou um grupo, também é importante olharmos para as distinções entre os diferentes tipos de homens.

---

1 CRENSHAW, Kimberlé Williams. **Maping the margins: intersectionality, identity politics and violence against women of colour**. Stanford Law Review, Palo Alto, v. 43, n. 6, p.1241-1299, julho de 1991. Disponível em: https://bit.ly/3blAylg.

CLASSE

O sistema de classes ainda é um grande fator de divisão no mundo de hoje: a sociedade é feita de classes distintas, incluindo aí a elite no poder, a classe média e a classe trabalhadora. Muitas vezes, no entanto, quando se discute a classe social de alguém, o poder econômico dessa pessoa se confunde com a percepção que temos dela. Por exemplo, se um rico dirige um carro legal e mora em uma casa confortável, mas não opulenta, ele pode ser visto como de classe média. Mas, se esse indivíduo for um jovem jogador de futebol que cresceu na parte mais pobre da cidade (e que fala com um sotaque típico de uma região específica mais humilde), os outros podem vê-lo como sendo da classe trabalhadora. E, enquanto uma pessoa pode ser vista como de classe média, ou rotulada como tal, pelos simples fato de ir à ópera ou ao teatro, ou por se envolver com atividades sociais e culturais como essas, ela pode muito bem trabalhar em uma central de atendimento telefônico ou ter um emprego que pague um salário mínimo, quando não é um valor mais baixo que o piso da categoria. De todo modo, se é verdade que a percepção dos outros sobre a classe social de alguém pode impactar a maneira como as pessoas são tratadas, também é verdade que a realidade de cada classe dita as circunstâncias econômicas e as condições de vida dos cidadaos, influenciando em assuntos sérios como a falta de acesso à educação, moradia, proteção social, emprego e assistência médica.

No Reino Unido, os homens da classe trabalhadora, quase que exclusivamente brancos, são muitas vezes estereotipados e rotulados como chavs, cockneys e lads, elementos associados a um tipo de cultura que envolve consumo excessivo de álcool, agressividade e comportamento violento. Eles são representados na televisão e no cinema como personagens sem emprego formal, que se envolvem em brigas idiotas e passam o tempo inteiro bebendo no pub. É o que se discute no livro Chavs: the demonisation of the working class ("Chavs: a demonização da classe trabalhadora"), onde Owen Jones escreve sobre esses estereótipos nocivos, que ganham nova vida por meio da mídia e também através do estado, em uma "série de caricaturas sobrepostas: o displicente, o sem ambição, o parasita, o disfuncional e o desordeiro",[2] uma paisagem na qual as opiniões sobre os homens da classe trabalhadora raramente são positivas. De fato, poucas vezes as pessoas os associam à inteligência, à educação ou à realização pessoal (fora do esporte). Isso é visto como um fracasso pessoal, mas, se olharmos os dados das pesquisas, vamos ver que as barreiras que eles enfrentam são na verdade uma representação do fracasso da sociedade. No livro Miseducation: inequality, education and the working classes ("Falta de educação: desigualdade, ensino e as classes trabalhadoras"), Diane Reay observa que, no Reino Unido, cerca de 18% dos gastos com a educação nas escolas inglesas vão para os 7% dos alunos do ensino privado de elite.[3] Já a Organização pela Cooperação e Desenvolvimento Econômico (OCDE), em um relatório de 2013, concluiu que, no mundo desenvolvido, as escolas da Inglaterra estão entre as mais segregadas socialmente.

A masculinidade da classe trabalhadora é muitas vezes considerada perigosa por si mesma, no sentido que qualquer violência, agressividade ou linguagem e comportamento sexista são vistos como se fossem uma exclusividade dela. O retrato da masculinidade da classe média — e do seu estilo de vida, de uma maneira geral — é bem mais

---

2   JONES, Owen. **Chavs: the demonisation of the working class.** Nova Iorque: Verso, 2016.
3   REAY, Diane. **Miseducation: inequality, education and the working classes.** Bristol: Policy Press, 2017

ardiloso. Vende-se a ideia de um homem que é intelectualizado, culto e, portanto, naturalmente menos ameaçador, mas esse não é apenas um mito classista, é um mito que deriva dos homens usando uma posição elitista para abusar do seu poder e fazer com que ele passe despercebido. Quando discuto esse assunto, aliás, penso logo em um amigo meu, criado em uma família da classe trabalhadora: segundo ele, em termos de pressão dos pares e de ritos performáticos masculinos, sua experiência em um internato privado foi muito mais tóxica do que toda sua criação dentro de casa e nos bairros da sua infância. Ele sentia que a sua masculinidade estava deslocada e sob violenta pressão naquele lugar. E a dura verdade é exatamente essa: várias instituições de ensino privado, escolas independentes, internatos e universidades são criadouros de comportamentos masculinos tóxicos, incluindo culturas misóginas. Em 2018, por exemplo, onze estudantes da Universidade de Warwick — uma das mais importantes do Reino Unido — foram suspensos por enviarem mensagens sexistas (e racistas) em um grupo virtual: entre as mensagens, coisas como "estupre as suas amigas também", "às vezes é divertido você ficar loucão e estuprar umas cem menininhas por aí" e "estupre o apartamento inteiro para dar uma lição nelas".[4]

COR DA PELE

Em países como o Reino Unido, a extrema direita costuma disseminar o mito de que a classe trabalhadora é toda ela branca. Mas, tanto na Grã-Bretanha quanto no resto do mundo, as estatísticas revelam um quadro muito diferente. Um relatório da Trade Unions Congress sobre a relação entre etnicidade e a oferta de empregos apurou que os negros

---

[4] University of Warwick suspends 11 students over hate posts. **BBC**. 9 de maio de 2018. Disponível em: https://bbc.in/3bOtVUR.

e as minorias étnicas sofrem persistentes desvantagens no mercado do Reino Unido: entre os profissionais negros, um em cada oito é obrigado a enfrentar condições precárias de trabalho, e esse é um resultado muito próximo do verificado quando consideramos outras minorias étnicas na pesquisa, com os números para esses grupos indicando que um em cada treze estão alocados em subempregos — contra uma média geral de um em cada dezessete.[5]

Se a cor da pele for somada à identidade de classe, e se nosso objeto de estudo deixar de ser o homem branco para se tornar o homem negro da classe trabalhadora, veremos surgir ainda um conjunto totalmente novo de obstáculos sistemáticos, provocações, estereótipos e valores. Os homens negros, em especial no ocidente, são criminalizados e hipersexualizados pelo simples fato de serem negros. Eles também são a maioria no sistema judicial criminal, com inúmeras condenações acontecendo por causa de crimes menores. Para piorar, em muitos casos, os homens negros recebem sentenças mais longas do que os homens brancos pelos mesmos delitos, como aponta um relatório da comissão de sentenças dos Estados Unidos, que concluiu que, no país, em relação aos crimes federais, os negros tiveram penas 19,1% mais longas entre os anos fiscais de 2012 e 2016.[6] Os homens negros também têm mais chances de serem parados e revistados pela polícia: uma pesquisa do governo britânico descobriu que, entre 2017 e 2018, na comparação com os homens brancos, as pessoas negras tinham quase dez vezes mais chances de serem paradas e revistadas por agentes de segurança na Inglaterra e no País de Gales.[7]

Passei por diversas ocasiões na adolescência e na vida

---

5 TUC. **Insecure work and ethnicity**. Disponível em: https://bit.ly/3ebePKr.
6 UNITED STATES SENTENCING COMMISSION. **Demographic differences in sentencing**. Disponível em: https://bit.ly/2LPlfms.
7 GOV.UK. **Stop and search**. Disponível em: https://bit.ly/3bQ8fYw.

adulta em que fui parado pela polícia por parecer "suspeito", ou por me encaixar em alguma descrição, enquanto fazia coisas normais que as pessoas fazem todo dia, como ir para casa ou caminhar até o mercado. As autoridades, assim como os civis, tratam você com uma desconfiança extraordinária se você estiver ocupando um espaço no qual não esperam sua presença. Por exemplo, eu fui parado inúmeras vezes, seja por seguranças, seja por pessoas comuns, indo a alguma instituição ou organização, mesmo quando eu era o palestrante convidado ou o facilitador, e o olhar surpreso quando me apresento é o mesmo em todo lugar que eu vou. Esses casos são mais do que comuns, na verdade: aos homens negros, é sempre reservada uma associação estereotípica de "mano", "da quebrada" ou de bandido, uma figura relacionada às drogas e ao crime. Eu mesmo já perdi a conta de quantas vezes me perguntaram se eu vendia drogas ou se eu sabia qual o melhor jeito de conseguir uma trouxinha para pessoas não negras. Quase sempre me pedem maconha, o que é irônico, já que, de acordo com a proporção populacional, o país com maior consumo de cannabis no mundo é a Islândia, onde 18,3% dos habitantes fumam a droga,[8] ainda que não sejam nem de perto estereotipados ou associados a ela.

SEXUALIDADE

A associação entre sexualidade e masculinidade tem uma longa e complexa história, permanecendo um grande ponto de tensão na identidade masculina. Não à toa, os homens gays, e mesmo os homens héteros afeminados, enfrentam constantes ameaças e sofrem repetidos atos de

---

[8] HAINES, Gavin. Mapped: the countries that smoke the most cannabis. **The Telegraph**. 20 de abril de 2017. Disponível em: https://bit.ly/2XkdzOl.

violência nas mãos de pessoas homofóbicas. É um cenário labiríntico: uma pesquisa publicada nos Estados Unidos em 2013, do Pew Research Center, indicava que, em relação à década de 2003 a 2013, 92% dos adultos LGBTQ+ percebiam um nível crescente de aceitação na sociedade, mas, quando a amostragem incluía o público em geral, apenas 55% dos entrevistados assumiam ter uma opinião positiva sobre os homens gays, um incremento de somente 18% em dez anos.[9] E, por mais que a América do Norte seja um lugar considerado mais progressista e acolhedor nas suas visões sobre a sexualidade, se comparado com outros lugares no mundo, como Uganda, por exemplo, onde a homossexualidade ainda é criminalizada, a homofobia continua sendo uma parte central do tecido da sociedade ocidental.

Os homens gays são muitas vezes vistos como mais fracos, um desvio da masculinidade. Ao mesmo tempo, também não é dado aos homens o direito à fluidez sexual. Em outras palavras, no que diz respeito à sexualidade masculina, ou você é hétero ou você é não hétero (gay), e os homens não normativos ou bissexuais são com frequência apagados do espectro da sexualidade masculina. De todo modo, é importante ressaltar que, enquanto é mais aceitável as mulheres serem abertamente fluidas com a sua sexualidade — pense naquela música de Katy Perry, *I kissed a girl and I liked it* ("beijei uma garota e gostei") —, esse também é um subproduto do patriarcado, tornando os relacionamentos gays ou não normativos entre mulheres mais uma fantasia masculina. E o tabu em torno dos homens bissexuais e não normativos ainda pode fazer com que eles sejam afastados tanto dos homens quanto das mulheres, sob a alegação de não serem homens o suficiente. Portanto, em

---

9   DRAKE, Bruce. How LGBT adults see society and how the public sees them. **Pew Research Center**. 25 de junho de 2013. Disponível em: https://pewrsr.ch/3e98xet.

uma sociedade na qual os homens são esmagadoramente violentos com outros homens, um homem amando outro é um ato radical e progressista. Aliás, como é possível que a gente, como sociedade, seja mais permissivo com a violência masculina do que com o amor entre homens? Deveria ser o contrário: normalizarmos o amor entre homens como uma maneira de combater a violência masculina.

Eu sentia muita vergonha, porque eu estava olhando para o que eu estava olhando e ninguém à minha volta era gay... Tudo que eu podia pensar era: por que eu não sou como todos esses homens ao meu redor? Era uma sensação assustadora, eu me culpei bastante por anos e anos.

Eu gosto de ser um gay entre homens héteros, porque eles acham que essa amizade é algum tipo de válvula de escape para eles serem mais emocionais e revelarem um lado que, de outro jeito, não revelariam para seus amigos héteros. E assim eu vou lá e faço amizades com esses caras, e a dinâmica é completamente diferente — Elrick.

TRANS E FLUIDEZ DE GÊNERO

O colonialismo — a total exploração e dominação política, econômica e cultural de uma nação sobre a outra — foi um dos fatores mais significativos do processo histórico que moldou a maneira como a sexualidade é vista nos dias de hoje, em especial no hemisfério sul — ou melhor, na África, na Ásia, na América do Sul e no Oriente Médio (o chamado "Terceiro Mundo" ou os "países em desenvolvimento"). Esse mesmo colonialismo ainda levou, em determinada época, à criminalização da homossexualidade em várias dessas regiões, com destaque para países africanos como Uganda, Nigéria e Zimbábue, para não falar de outros lugares, como o Sudão e a Mauritânia, que chegaram a implementar a pena de morte como punição aos gays e lésbicas. Tamanho impacto se deu porque, com o colonialismo, cresceu também o imperialismo religioso, apoiado em grupos missionários que convertiam os povos ao cristianismo e/ou ao islamismo, enquanto os antigos modos de vida e crenças da população eram apagados de forma brutal. E a homossexualidade, diga-se de passagem, já era praticada na África muito antes da conquista europeia, como aponta a romancista Bernardine Evaristo em um artigo no jornal The Guardian ao fazer referências a pinturas rupestres do povo San, do Zimbábue, que já retratavam o sexo anal entre homens. Ou seja, como lembra Evaristo, o que foi exportado para a África não foi a homossexualidade, e sim a homofobia, pois, antes da chegada dos colonizadores, a sexualidade era vista, na região, entre todos os gêneros, como uma característica fluida e livre.[10]

De fato, em várias sociedades pré-coloniais ao redor do planeta, a sexualidade e o gênero eram fluidos, livres e não limitados ao simples binarismo. Por exemplo, o povo Hijra é composto de indivíduos transgêneros e intersexuais vivendo na Índia e no sul da Ásia, e são assim há séculos. É um povo oficialmente reconhecido em muitos países — como Nepal, Paquistão, Índia e Bangladesh — como não sendo nem masculino, nem feminino, e sim um terceiro gênero. Mas a compreensão sobre esse assunto ainda é muito restrita. Lembro bem de um caso, inclusive. Eu participei de um festival de literatura em Kerala, na Índia, onde estive entre vários outros autores internacionais. Uma noite, durante um jantar com o grupo, conversei com um senhor

---

10 EVARISTO, Bernardine. The idea that African homosexuality was a colonial import is a myth. **The Guardian**. 8 de março de 2014. Disponível em: https://bit.ly/2TvzxwW.

mais velho, professor de uma universidade britânica de elite. O assunto era a fluidez de gênero e como a Índia mudou suas leis para reconhecer legalmente um terceiro gênero. A sua resposta foi: "até que enfim, é bom ver a Índia mostrar algum avanço depois de ficar atrasada por tanto tempo" — o que me deixou chocado, especialmente considerando o quão educado ele era. No fim, retruquei: "na verdade, a fluidez de gênero era um conceito bastante normal na Índia de séculos atrás, até que os britânicos chegaram e a colonizaram". E ele ficou sem resposta, apenas resmungando em silêncio.

O conceito que reconhece a existência de mais gêneros do que o pressuposto pelo típico binarismo entre masculino e feminino também é uma parte importante da cultura e da sociedade nativa norte-americana, onde até cinco gêneros são reconhecidos. Sobre este tema, o professor de antropologia e gênero da Universidade do Sul da Califórnia, Walter L. Williams, escreveu que os nativos norte-americanos normalmente tinham indivíduos intersexuais, andróginos, homens femininos e mulheres masculinas em alta conta nas suas comunidades, e que o termo mais comum para definir essas pessoas era "dois espíritos".[11]

Historicamente, aliás, na minha cultura congolesa, e em várias outras culturas no mundo, as pessoas de gênero fluido ou transgênero sempre alcançaram uma posição social de destaque, ou então eram vistas como seres espirituais mais elevados, referências criativas nas artes, na música e na dança. Não à toa, no reino pré-colonial do Kongo, por volta do século 15, o conceito de gênero era ilustrado através de uma história bastante popular sobre a criação da vida, que dizia que o ser humano original era uma enti-

---

11 WILLIAMS, Walter. **Two-spirit people: native american gender identity, sexuality and spirituality**. Champaign: University of Illinois Press, 1997.

dade perfeita chamada *Kimahungu*, tão feminino quanto masculino, ao mesmo tempo homem e mulher, que descia dos céus até a Terra e povoava o planeta ao se multiplicar e se espalhar pelos continentes — uma façanha mitológica que está muito bem descrita na obra do historiador, teólogo e professor congolês Kiatezua Lubanzadio, uma fonte importantíssima sobre o assunto.[12] Com o tempo, porém, muitas dessas teologias foram apagadas como resultado do colonialismo, que qualificava todas essas expressões míticas como sendo maléficas, pagãs ou atrasadas. No máximo, temos ainda alguns resquícios dessas ideias que sobrevivem de maneira sutil na cultura moderna do Congo: em lingala, por exemplo, que é um dos quatro principais idiomas falados na República Democrática do Congo, a mão esquerda é chamada de *Liboko ya mwasi* e a mão direita é chamada de *Liboko ya mobali* — "a mão da mulher" e "a mão do homem" —, uma representação simbólica tanto do feminino quanto do masculino presente em cada pessoa, como concebido lá atrás pelo mito do *Kimahungu* do povo Kongo.

A realidade na sociedade moderna para as pessoas transgêneras, de gênero fluido ou não binárias, no entanto, está longe de oferecer a elas uma posição social confortável. Pelo contrário, essas pessoas enfrentam o risco de serem ridicularizadas, excluídas e marginalizadas, além das constantes ameaças de agressão física e morte. E a violência contra indivíduos transgêneros está em alta ao redor do mundo. Entre outubro de 2017 e setembro de 2018, foram registrados 369 assassinatos de pessoas transgêneras no mundo inteiro — a maioria deles, 167, ocorrendo no Brasil, com muitos outros casos acontecendo no México, Estados Unidos e na Colômbia. Nos Estados Unidos, a maioria das

---

12 LUBANZADIO, Kiatezua. **La religion kôngo: ses origines egyptiennes et sa convergence avec ça christianisme**. Paris: Editions L'Harmattan, 2000.

vítimas era de mulheres trans negras e/ou mulheres trans de povos nativos.[13] E é importante lembrar que todos os números relacionados a esse tipo de violência estão certamente subdimensionados, já que muitas pessoas transgêneras sofrem violência e abusos que não são relatados às autoridades — quase sempre por medo de serem ainda mais atacadas ou ridicularizadas, uma vez que a transfobia tende a ser recorrente em diversos círculos sociais. Em julho de 2017, por exemplo, o presidente Donald Trump publicou um tuíte declarando que indivíduos transgêneros não serão aceitos nas Forças Armadas dos Estados Unidos, ao mesmo tempo em que o Departamento de Justiça do país voltava atrás em proteções para detentos transgêneros que foram implementadas durante o governo de Barack Obama.

A minha jornada para me identificar enquanto pessoa com inconformidade de gênero era algo que eu sentia dentro de mim, e só depois a língua se atualizou até me alcançar — Tom.

O conceito de fluidez sexual e de gênero pode ser uma realidade difícil de compreender em um mundo que impõe binarismos restritos e heteronormativos. E eu entendo bem a dificuldade. Eu tive uma criação religiosa: a cultura congolesa e africana é muito religiosa, com o cristianismo dominando, em particular, a região subsaariana. Na minha infância, muito antes de desenvolver a minha própria orientação sexual, aprendi que a noção de fluidez sexual ou de gênero era abominável ou anormal, não condizia de jeito nenhum com o propósito para o qual o mundo tinha sido criado (imagine ser uma criança de cinco anos

---

13 TRANSRESPECT VERSUS TRANSPHOBIA WORLDWIDE (TvT).
369 reported murders of trans and gender-diverse people in the last year. Disponível em: https://bit.ly/2LTnFRe.

de idade ouvindo que qualquer menino que goste de outro menino vai queimar no inferno para sempre — é uma ideia terrível). Quando, mais tarde, me afastei dos dogmas cristãos e comecei a ler sobre as crenças espirituais e religiosas que existiam antes do cristianismo, acrescentando às leituras vários textos sobre outras religiões abraâmicas e sobre as sociedades pré-coloniais, descobri o quão normais e aceitas eram as pessoas com fluidez sexual e de gênero nas sociedades mais antigas, e como isso não era motivo nenhum para confusão. É uma questão muito mais moderna. Com frequência, as pessoas se prendem a percepções binárias e rígidas de gênero e de sexualidade porque essas concepções reforçam a sua identidade heteronormativa e as suas crenças na hierarquia patriarcal: elas enxergam a fluidez sexual e de gênero como uma ameaça à norma e, por extensão, uma ameaça a elas mesmas. No entanto, um progresso lento está ocorrendo, com as pessoas transgêneras e de gênero fluido ganhando visibilidade e uma melhor representação na mídia e na sociedade. Por exemplo, a atriz americana Amandla Stenberg, identificada como não binária, é uma pessoa que advoga pelo uso dos pronomes *they* e *them* (eles/elas e deles/delas), sem gênero em inglês, ao invés de *he* (ele) ou *she* (ela), e fala abertamente sobre a importância desta escolha na linguagem. Laverne Cox, por sua vez, atriz e mulher transgênero, conversou sobre as suas experiências em uma entrevista para a revista Time, dizendo que: "As pessoas precisam estar dispostas a abandonar o que elas acham que sabem sobre o que é ser um homem ou ser uma mulher. Porque isso não quer necessariamente dizer algo que seja intrínseco ao ser humano". Questionada se ela entende os motivos para algumas pessoas continuarem tão pouco à vontade com a identidade trans, ela respondeu: "As pessoas não querem interrogar criticamente o mundo à sua volta. Quando tenho medo de alguma coisa ou me sinto ameaçada, é porque essa coisa desperta algum tipo de insegurança em mim".[14]

O ordenamento que atribuímos ao mundo e às pessoas dentro dele é moldado de forma decisiva por muitos fatores, uma mescla que inclui culturas, crenças religiosas e espirituais, nossas experiências individuais e até a época em que nascemos. O que era normal oitocentos anos atrás, em uma sociedade pré-colonial, pode não ser visto como normal no mundo moderno, ocidentalizado e global da atualidade, e vice-versa. Nesse sentido, nossa única certeza é que nada é absoluto ou eterno: as crenças mudam, as regras mudam, as ideias mudam. Talvez o modo como olhamos para o gênero e a sexualidade nos dias de hoje também precise mudar. Afinal, não existe uma só maneira de ser homem, assim como não existe uma só maneira de ser mulher, ou de ser não binário. E, quando impomos preconceitos sobre nós mesmos ou sobre os outros, além de limitarmos o potencial de ficarmos à vontade com os nossos Eus verdadeiros, também corremos o risco de nos alienarmos. Portanto, o que permanece no horizonte é a necessidade de compreendermos as experiências vividas por cada um, aprendendo com as realidades de pessoas iguais a nós ao mesmo tempo em que aprendemos com pessoas que nos são diferentes. Essa troca nos possibilita crescer e ter um entendimento mais genuíno dos indivíduos, para que possamos lutar por um mundo onde as pessoas não sejam marginalizadas por serem elas mesmas.

---

14 STEINMETZ, Katy. Laverne Cox talks to Time about the transgender movement. **Time Magazine**. 29 de maio de 2014. Disponível em: https://bit.ly/2TzqBXs.

CAPÍTULO 7
O SUBMUNDO DAS DMS: MASCULINIDADE NA ERA DAS REDES SOCIAIS

As mídias e as redes sociais permitiram à nossa geração criar representações externas das nossas idealizadas identidades internas. Vídeos, imagens, memes, tags e tuítes se espalham por todos os lados e, em troca, seguimos outras pessoas que projetam as representações ideais delas mesmas, com todas as partes do circuito acreditando que as representações dos outros são as legítimas realidades de cada um. Mas este é um cenário ainda muito novo. As mídias e redes sociais pioneiras, que surgiram na primeira década dos anos 2000, como MySpace, Hi5, Bebo, MSN, Orkut e salas de chat — todas baseadas unicamente na internet —, além de serem limitadas em termos de conectividade, não tinham a acessibilidade dos aplicativos e smartphones de hoje em dia. Você precisava se sentar na frente de um computador para poder publicar alguma coisa nas redes sociais, que, por sua vez, limitavam o número de usuários logados ao mesmo tempo. Isso é bem diferente do que vivemos na atualidade: em 2018, por exemplo, algumas das maiores plataformas de redes sociais, como Facebook, YouTube, Instagram e Twitter, afirmavam ter, respectivamente, 2,23 bilhões, 1,8 bilhão, 1 bilhão e 335 milhões de usuários. A China, o país mais populoso do mundo, tem cerca de 1,4 bilhão de habitantes, contra 1,3 bilhão da Índia, 330 milhões dos Estados Unidos, 210 milhões do Brasil, 185 milhões da Nigéria e 127 milhões do México e do Japão. O Reino Unido tem uma população de mais ou menos 65 milhões de pessoas. Portanto, quando consideramos esses dados, podemos afirmar sem a menor sombra de dúvida que o Facebook é simplesmente o maior país digital do mundo.

Claro, alguém pode contra-argumentar que, para uma plataforma de rede social ser um país, então, assim como todos os países, ela precisa ter a sua própria cultura, suas normas, seus valores, suas crenças que emergem e se espalham internamente até se constituírem enquanto uma imagem que apresente as ideias daquela nação mundo afora. Mas o ponto é justamente esse: as redes sociais preenchem todos os requisitos. E elas, assim como os cidadãos de um país, encontraram uma maneira muito particular de comunicar suas ideias entre seus usuários.

#MASCULINIDADEFRÁGIL

Em qualquer rede social, não é difícil encontrarmos representações reveladoras da masculinidade, imagens pessoais que, se não estivessem condensadas em uma única postagem, precisaríamos de muito mais tempo para decifrar. Por exemplo, no Twitter, em uma publicação que perguntava "o quão frágil é a sua masculinidade?", um usuário respondeu:

Eu estava na academia com esse cara ao lado, e estávamos fazendo exercícios para o ombro usando uma barra de quinze quilos. Ele viu uma mulher fazendo o mesmo exercício que a gente, com o mesmo peso. Esse cara se virou para mim e disse: "eu não vou usar o mesmo peso que uma mulher". E aí ele colocou um quilo a mais.

Outra postagem aleatória mostra uma troca de mensagens de texto entre um homem e uma mulher:

Homem — *Você foi no show da Taylor Swift?*
Mulher — *Simmm hahaha*
Homem — *Grande show kkk*
Mulher — *Meu Deus, sim. Você foi?*
Homem — *Não sou gay mas fui*

Quero dizer, por mais espirituosos que sejam esses tuítes, eles já nos dão uma clara visão do que hoje as pessoas estão rotulando de masculinidade "frágil". Mas o buraco é bem mais embaixo, já que, entre as várias postagens, encontramos também algumas experiências de masculinidade muito mais insidiosas. Por exemplo, o tuíte a seguir apareceu sob a hashtag #failingmasculinity ("fracasso da masculinidade"): "(minha) Mãe morreu quando eu tinha 10 anos. O pai dela não me abraçou e nem abraçou meus irmãos enquanto a gente chorava. Segundo ele, 'homens não abraçam outros homens'".

IMAGEM DO CORPO

A masculinidade moderna foi moldada na esfera digital. Seja pelo Instagram, pelo Snapchat ou pelo YouTube, estamos todos cercados por um tipo específico de imagem e de estilo de vida. E essa onipresença gera determinada expectativa sobre nossa aparência. De modo geral, a preocupação com a imagem do corpo é vista como uma questão que afeta quase que exclusivamente o público feminino, com várias pesquisas alertando que a exposição a imagens femininas idealizadas influencia de maneira negativa a autopercepção e a autoestima das mulheres. Sem falar que continuamos com muitas agências de marketing e de publicidade realizando campanhas sexistas voltadas às mulheres jovens, ainda que alguns grupos, como o *Level Up*, desafiem a mídia e o marketing sexista com campanhas que vão na corrente contrária. No entanto, temos poucas pesquisas que avaliem o impacto das imagens sobre a autopercepção dos homens. E estatísticas mostram, por exemplo, que houve um aumento recente de 43% na quantidade de homens procurando médicos no Reino Unido por causa de transtornos alimentares e questões com a imagem do corpo.[1]

Um levantamento sobre mídias sociais e confiança no próprio corpo, realizado em 2017 pela edição americana da revista Men's Health a partir de um universo de quinhentos homens, indicava que um em cada três participantes da pesquisa se sentia pressionado a ter uma imagem positiva nas redes sociais. Dos entrevistados, 45% sentiam pressão para editar ou cortar suas fotos para parecerem mais bonitos, enquanto 46% tiravam várias selfies só para poder ter a chance de escolher a melhor. Além disso, um em cada vinte homens afirmava já ter enfrentado casos de zombaria, trolagem ou humilhação nas redes sociais por causa da sua aparência ou peso.[2]

---

[1] OCEANFRONT RECOVERY. **Is social media having the same effect on men's body as it is on women?** Disponível em: https://bit.ly/2ZvSPGk.

[2] THE EDITORS. We polled guys about their body confidence and social media. **Men's Health**. 16 de novembro de 2017. Disponível em: https://bit.ly/2LVxs9a.

É um mundo de fantasia. Imagine o Instagram, e você provavelmente vai pensar em homens estonteantes, com corpos de deuses gregos. Corpos que, em geral, são reservados para os atletas profissionais, mas que, de repente, parecem acessíveis com toda a facilidade do mundo para os homens comuns, desde que as pessoas frequentem algumas sessões de academia, tomem certos shakes de proteína e pratiquem determinadas dietas. Um corpo perfeito, que se torna possível graças ao "trabalho duro", sem que outros fatores fundamentais sejam considerados, como deficiências físicas, configuração genética, classe social e recursos financeiros. Quando, na verdade, o mais importante talvez seja o seguinte: parece que nos esquecemos que é absolutamente aceitável não termos músculos abdominais delineados, é absolutamente aceitável não termos um corpo digno de *S.O.S. Malibu* só para nos garantir mais de mil curtidas no Instagram.

Em um artigo sobre a imagem do corpo masculino, publicado pela faculdade de jornalismo da Universidade Estadual de Michigan, o fisiculturista Abe Oloko resume o sentimento:

> Agora, mais do que nunca, os homens estão sendo pressionados a serem o homem ideal, e a imagem do corpo obviamente está ligada a isso. Antigamente, não importava muito. Um homem era avaliado pelo que ele podia fazer e prover enquanto homem, mas agora tudo tem a ver com a aparência.

No mesmo artigo, o instrutor e treinador pessoal Phil Williams diz que, quando pergunta a um cliente onde ele está querendo chegar com o treinamento, a pessoa "sempre" responde mostrando a foto de algum homem nas redes sociais. E Williams continua: "Aquelas imagens não são representativas de como as pessoas são de verdade, assim como não é o melhor caminho para se entender o exercício físico".[3] É evidente: o Instagram se apoia nas edições e nos filtros, depende da iluminação, dos ângulos e da posição, e muitas vezes promove um elitismo do corpo que é bastante inalcançável para a maioria das pessoas. Claro, frequentar uma academia para fazer exercícios e entrar em forma não é negativo de maneira nenhuma. As atividades físicas trazem benefícios para muitos homens, inclusive para mim mesmo, pois ajudam a aliviar o estresse e colocam o sujeito em um estado mental e físico mais saudável. Mas, quando o desejo por uma melhor forma física se transforma em uma meta insalubre ou obsessiva, buscando atingir uma imagem do corpo alterada e quase impossível de se obter, a nossa autoestima pode sofrer sérios ataques e ganhar contornos tóxicos, o que é mais do que suficiente para produzir uma ultracompetitividade entre os homens — para entender o que estou falando, basta entrar em qualquer academia e observar o ambiente.

As redes sociais também têm demonstrado uma significativa influência na questão do materialismo e todas as pressões associadas a ele, no sentido de que o materialismo incentiva a supervalorização do dinheiro e alimenta o desejo de posse em relação aos objetos. Um estudo sobre materialismo e uso das mídias sociais, aliás, intitulado "Materialistas colecionam amigos no Facebook e passam mais tempo nas redes", publicado em 2017 pela Universidade de Bochum, na região do Ruhr, na Alemanha, aponta que as pessoas materialistas usam o Facebook com mais frequência, pois isso permite que elas objetifiquem seus amigos na

---

[3] SHEAD, Jonathan. Male body-image pressure increases with influence from social media. **Spartan Newsroom**. 18 de dezembro de 2017. Disponível em: https://bit.ly/3dO8PUH.

rede e possam aplicar inúmeras comparações sociais.[4] O grande problema aí é que comparar os outros consigo mesmo pode estar na origem de sentimentos de inadequação pessoal ou de baixa autoestima, através de um mecanismo falacioso: se a pessoa vê desfilar na sua frente o fato de que ela tem poucas posses, e que todas as outras pessoas possuem muito mais — especialmente se essas outras pessoas dão a impressão de que a riqueza e os bens materiais são obtidos com relativa facilidade —, ela pode achar que tem algo de muito errado por ela não ter todos aqueles bens, e isso pode pressioná-la a comprar cada vez mais para poder ser feliz — uma noção que está no âmago da sociedade capitalista, e que já teve suas implicações relacionadas a problemas de saúde mental.

Com as mídias sociais, testemunhamos também o surgimento dos "influenciadores" de estilo de vida: podemos vê-los por aí circulando em jatinhos particulares, se hospedando em hotéis de luxo e divulgando as ilusórias propagandas do hoje infame Fyre Festival, enquanto marcas de luxo como Balenciaga e Christian Louboutin passaram a ser procuradas pelo público em geral. Isso é uma verdadeira novidade: quando eu era adolescente, no início dos anos 2000, nós não éramos o público-alvo preferencial para as campanhas publicitárias dessas empresas, mas a situação mudou bastante nos últimos anos, especialmente com a influência e emergência da subcultura hype, em que as pessoas são obcecadas com as tendências mais recentes da moda e querem adquirir a qualquer custo os últimos modelos e coleções. É o que deduzimos, por exemplo, de uma pesquisa britânica conduzida pela empresa de consultoria e rede de serviços profissionais Deloitte, que entrevistou

---

[4] HOWARD, Victoria. Materialists collect Facebook friends and spend more time on social media. **Elsevier**. 20 de novembro de 2017. Disponível em: https://bit.ly/3c8526R.

millenials (pessoas entre dezoito e trinta e cinco anos) a respeito dos seus gastos com marcas de luxo. Quando foi feita a pergunta "qual o seu grau de interesse na alta-costura ou em mercadorias de luxo (um item que não é considerado necessário)?", mais de 63% responderam que se sentem "muito interessados/as". E, para a pergunta "como você fica sabendo das últimas tendências do mercado de luxo?", mais de 20% dos entrevistados responderam que era pelas redes sociais, 15% pelos sites oficiais das marcas e 14% por meio de revistas de moda. Um levantamento semelhante, este com mais de mil pessoas e realizado em 2018 pela Y Pulse, uma empresa de pesquisa de marketing para jovens e millenials, concluiu que as dez marcas de luxo mais desejadas pelas pessoas entre treze e trinta e cinco anos de idade eram: Apple, Gucci, Tesla, BMW, Louis Vuitton, Audi, Chanel, Nike, Lexus e Rolex.[5]

TROLLS DE TWITTER E MISOGINIA

A revolução digital e a ascensão do uso das redes sociais também coincidiram, nos últimos anos, com um aumento significativo da misoginia online. Muitas pessoas, homens em sua maioria, se escondem por trás de perfis anônimos no Twitter e criam contas de "trolls" para não terem suas identidades reveladas, aproveitando o anonimato para atacar e assediar mulheres — quase sempre incluindo entre seus alvos perfis de mulheres com um grande número de seguidores e que normalmente vêm de minorias ou grupos marginalizados. Os trolls bombardeiam essas mulheres com mensagens misóginas, em uma variedade de agressões que vai do assédio moral até ameaças de violência física ou sexual, em uma tentativa de exercer uma suposta posi-

---

[5] Y PULSE. **The top ten luxury brands millennials & gen z most want to own.** Disponível em: https://bit.ly/2AT3790.

ção de poder sobre as mulheres, enquanto se escondem por trás de uma tela de computador ou de celular. Um gesto nada inocente, diga-se de passagem: como discutimos no capítulo 4, apesar de muitos atiradores começarem seus ataques diante de uma tela de computador, a violência em algum momento se transfere para a vida real, provocando consequências fatais. Sem falar que a misoginia online é especialmente virulenta por ela ser usada como uma estratégia de silenciamento, sendo por conveniência ignorada na sua dimensão de fenômeno — até pelos próprios administradores do Facebook e do Twitter. Basta analisarmos os dados. Em uma pesquisa realizada em oito países, a revista New Statesman relatou que, no conjunto total dos entrevistados, cerca de 23% das mulheres já sofreram abusos online, com as porcentagens variando desde os 16% na Itália e indo até os 33% dos Estados Unidos, o que significa dizer que uma em cada três mulheres norte-americanas já foi obrigada a lidar com este tipo de violência.[6]

Um outro estudo, citado em reportagem do The Guardian, revelou ainda que, em 2016, internacionalmente, mais de duzentos mil tuítes agressivos contendo as palavras slut ("vadia") e whore ("puta") foram enviados online em um intervalo de apenas três semanas para um total de oitenta mil destinatários.[7] É um dado que mostra com clareza o quanto a misoginia consegue prosperar nas redes sociais. Mas o que mais surpreende é que os responsáveis por esses graves atos de misoginia não se restringem somente a um grupo, eles podem ser desde meninos adolescentes até homens casados e com filhos — o que apenas mostra

---

[6] DHRODIA, Azmina. Social media and the silencing effect: why misogyny online is a human rights issue. **News Statesman**. 23 de novembro de 2017. Disponível em: https://bit.ly/2Xsi9ua.

[7] LAVILLE, Sandra. Research reveals huge scale of social media misogyny. **The Guardian**. 26 de maio de 2016. Disponível em: https://bit.ly/3egA3Xy.

como o direito que os homens acreditam ter é algo que não conhece barreiras etárias, é uma perversidade que não pode ser simplesmente reduzida à imaturidade ou a um probleminha que superamos quando ficamos mais velhos.

Não à toa, em vários blogues e artigos, diversas mulheres já escreveram sobre receberem fotos não solicitadas de pintos. E, embora a exposição indecente ou explícita não seja nenhuma novidade, ela se tornou muito mais prevalente na era digital, em especial nas plataformas de encontros como Tinder e Match, a ponto de 49% das mulheres afirmarem ter recebido pelo menos uma foto não solicitada de pintos no Match, de acordo com estatísticas do próprio site.[8] Bom, enviar esse tipo de imagem também acontece via e-mail e em outras formas de comunicação online, e não apenas em aplicativos de encontro. Ainda assim, é curioso notar como existe um aspecto particularmente desleal em enviar uma foto via Snapchat: os homens sabem que a foto vai se apagar para sempre depois de vinte e quatro horas e, a menos que alguém faça uma captura da tela, o que gera um alerta no aplicativo do remetente, os homens podem se safar por violarem o espaço pessoal online de outras pessoas. E, bom, no fim das contas, por que os homens mandam fotos não solicitadas de seus pintos (sendo "não solicitadas" a palavra-chave aqui)? Enviar fotos não solicitadas reforça a dinâmica de poder, faz com que eles se *sintam* "o cara". De muitas maneiras, este é um ato sexual agressivo, assim como passar uma cantada na rua, um gesto através do qual os homens tentam afirmar a sua masculinidade e o seu potencial de despertar desejo.

---

8   RICHARD, Joanne. Why do men send unsolicited d--- pics? **Toronto Sun**. 18 de novembro de 2018. Disponível em: https://bit.ly/2Aa55kY.

UMA ESPERANÇA DIGITAL?
Em vários sentidos, as mídias sociais e o espectro digital dão à masculinidade tóxica um campo fértil para se desenvolver, uma arena onde os homens podem exercitar o controle que a sociedade concede a eles, trolando as mulheres quando sentem que o poder está escapando das suas mãos. No entanto, noções tradicionais, tóxicas ou estereotipadas da masculinidade têm sido enfrentadas nos últimos anos justamente como resultado das redes sociais e do mundo online. E temos vários casos que impulsionam esta reação. Os integrantes da banda de k-pop Bangtan Sonyeondan (BTS), por exemplo: sete homens com cabelos brilhantes e coloridos, roupas cheias de cores, rostos bonitos, muitas vezes usando maquiagem e com imagens pessoais que transitam livremente entre o que é percebido como masculino e feminino, de um jeito empolgante e transformador — o que é ainda mais poderoso se pensarmos que eles estão questionando a masculinidade estereotípica do leste da Ásia, que é apresentada na cultura popular e no cinema como um mundo associado às artes marciais e às lutas, ou então algo no meio do caminho entre o "nerd" e o "geek".

Kehinde Wiley, por sua vez, um artista afro-americano, reimagina a masculinidade negra por meio de delicados retratos de homens negros em poses confiantes e atrevidas, sempre diante de cenários coloridos, extravagantes e florais, como é o caso de uma das suas obras de maior destaque, uma pintura do ex-presidente norte-americano Barack Obama feita contra um cenário cheio de folhas e flores. Ou podemos pensar no fotógrafo Joseph Barrett, que, na sua série *The male gaze* ("O olhar masculino"), usa uma coleção de retratos íntimos de seus amigos em uma tentativa de mostrar cada pessoa longe dos estereótipos de gênero que a determinam — Barrett inclusive diz, em um artigo da Hunger TV: "Acho que é necessário as pessoas verem as fotografias sem as implicações de gênero e de orientação sexual". Temos também o *Queer eye*, um reality show da Netflix que é um exemplo fantástico de como a masculinidade tradicional pode ser subvertida, em especial através das lentes da sexualidade. O programa acompanha cinco homens gays que, em cada episódio, lidam com uma pessoa, em geral um homem, cuja vida eles precisam transformar com o seu toque "queer", isto é, aprimorando o gosto desta pessoa para roupas e estilos de vida, trabalhando o bem-estar e a autoconfiança e afastando aquele personagem da imagem masculina tradicional de um homem que não se importa com o cuidado próprio ou com a aparência. O episódio de abertura já é bastante representativo: mostra o quinteto transformando a vida e a autoestima de Tom, um mecânico e caminhoneiro de cinquenta e cinco anos de idade que vive no estado norte-americano da Geórgia e que, no início, a respeito dele mesmo, repete o tempo inteiro como "é impossível consertar o que é feio". Eles vivem alguns momentos de intimidade e refletem sobre as coisas ruins da vida e, no fim, Tom se mostra bastante sensibilizado, chorando e revelando que ele, no decorrer do programa, desenvolveu um forte sentimento de amizade pelos cinco integrantes do show. Para completar, podemos citar ainda vários blogues como o Woke Daddy e o The Good Men Project, páginas que trazem discussões alternativas e progressistas sobre a masculinidade.

Todos esses exemplos positivos mostram que existe esperança em meio à nuvem trovejante de misoginia e masculinidade tóxica, tão presente na era digital. Mas o problema é que tais reviravoltas positivas tendem a ocorrer individualmente, em um nível pessoal. E, para que mudanças aconteçam de verdade, o enfrentamento da masculinidade tóxica precisa ser parte de uma transformação cultural e social coletiva, precisa ser parte de uma transição da consciência.

CAPÍTULO 8
CAMPEONATO DE ENTERRADAS: MASCULINIDADE E ESPORTE

Veja bem. Eu joguei muitas competições nacionais de basquete a partir dos meus quatorze anos de idade. E tudo começou de um jeito meio enviesado: entrei nas quadras depois de ter quebrado o braço jogando futebol, o que ocorreu após várias outras lesões e na sequência de um crescimento rápido e desordenado no início da adolescência, levando meu pai a repetidamente me aconselhar a tentar um esporte diferente. Na época, um amigo de infância que morava no nosso condomínio tinha acabado de comprar uma bola de basquete e começamos a jogar — sem quadra, sem tabela —, só passando a bola e treinando uns dribles. Em algum momento, conseguimos instalar umas cestas no condomínio e passamos a jogar também na escola, inclusive montando o primeiro time de basquete do colégio. Quando fiquei um pouco mais velho, resolvi jogar mais a sério, competindo em nível nacional e, ao longo dos anos, até ganhando alguns títulos e troféus, que hoje estão enferrujando em algum lugar na despensa da casa dos meus pais.

 O basquete me conectou e me aproximou de algumas pessoas realmente incríveis, meninos e homens sensacionais que eram altos, atléticos e musculosos, mas também solidários, afetuosos e empáticos. Eles me enchiam o saco por causa do meu cabelo torto, que meu pai levava duas horas para cortar com uma tesoura (pois arrastar cinco meninos para um salão era impraticável em termos financeiros) e, ao mesmo tempo, me conquistavam com conversas profundas, me ajudando a descobrir quem eu era e o que eu queria da vida — aquele tipo de gente que te oferece amizade para a vida inteira e termina sendo padrinho do seu casamento ou sugerindo os nomes dos seus filhos. No entanto, essa reflexão nostálgica sobre basquete não quer dizer que sempre foi tudo perfeito, nem mesmo fácil: passei por inúmeros problemas, desde apanhar no vestiário até a pressão para me enquadrar em certos moldes sociais, passando pelos incontáveis palavrões e xingamentos agressivos. Os desafios mais duros sempre foram os pessoais. Para mim, o pior aconteceu em 2005. Nós tínhamos acabado de ganhar dois títulos nacionais — o campeonato e a copa —, além de uma série de outras competições locais, um ano excelente. E eu achava que estava no caminho de uma carreira como jogador, toda aquela história de sonhos começando a se realizar. Eu estava chamando a atenção das universidades do topo do ranking e até de olheiros de universidades norte-americanas, e o telefone não parava de tocar com ligações de pessoas com sotaques que a gente só conhecia do cinema e da televisão, todo aquele pessoal falando em testes, concentrações e bolsas de estudo, quase convencendo meus pais de que mandar o filho deles para um país estranho valia o risco. E aí o verão passou. Muitos dos meus amigos e colegas do basquete seguiram com as suas carreiras, alguns sendo contratados para jogar como profissionais na Europa e em diferentes lugares do mundo, outros aceitando bolsas de estudo para universidades nos Estados Unidos, mas eu continuei em Londres, na mesma situação. Continuei jogando basquete. E, embora eu continuasse jogando, sentia um vazio crescente dentro de mim, um abismo de proporções épicas. A luz estava se apagando, o fogo estava diminuindo, a paixão estava, pouco a pouco, desaparecendo.

Durante o aquecimento para um jogo, meu treinador notou que alguma coisa estava diferente no meu jeito de andar, minhas pernas pareciam menos ágeis, menos decididas, sem direção certa. Ele me perguntou: "Você não parece a mesma pessoa. Você está jogando, mas o que você *quer* disso aqui?". E, pela primeira vez, eu não sabia o que responder. Desde que comecei a bater bola no condomínio, jogar basquete profissional sempre foi meu objetivo. Não era mais nem possível imaginar a minha vida sem o basquete, e eu chegava a dizer que o basquete era a própria vida. Mas, naquele momento, ele não era mais a vida, e sim um lugar estranho — uma sombra cinzenta à espreita na escuridão, me seguindo até em casa. Eu não queria jogar basquete profissional, eu não queria sequer jogar basquete. Na verdade, eu não queria fazer nada. Eu queria dormir por muito e muito tempo. Eu queria me sentar no escuro. Eu queria ficar sozinho. Eu queria desaparecer, ir embora, fugir para bem longe, correr para qualquer outro lugar que não fosse o meu próprio corpo. Por dentro, eu estava sofrendo profundamente, e não era como se eu entendesse todos os motivos por trás daquela tristeza: eu não fazia a menor ideia do que estava acontecendo comigo.

Segui em pé ao lado do meu treinador, segurando as lágrimas que se acumulavam por trás dos meus olhos. O técnico me mandou de volta para a quadra, sem saber como eu me sentia. Eu estava deprimido. E joguei o resto do jogo como se tivesse pesos nos pés e com um coração apertado, engolindo o choro que vinha de dentro — e, como era de se esperar, apesar de todos os meus esforços, nós perdemos o jogo. Foi naquele ano que o sonho acabou.

A "FORTALEZA"

Para muitos homens, os atletas profissionais são muitas vezes vistos como o ápice da masculinidade. Eles são altos, musculosos, em uma condição física máxima, são competitivos e em geral extremamente saudáveis — atributos que são considerados desejáveis dentro da masculinidade. E, assim, os atletas se tornam figuras muito influentes para moldar a mentalidade e o desenvolvimento dos jovens, o que tanto pode ser positivo quanto negativo.

Em fevereiro de 2018, o ala-armador Demar DeRozan, então do Toronto Raptors, quatro vezes selecionado para o Jogo das Estrelas da NBA, nascido e criado na cidade de Compton, no condado de Los Angeles, publicou no Twitter: "A depressão está acabando comigo". E foi uma grande surpresa. Sou um antigo e dedicado fã da NBA. Vi Demar DeRozan jogar desde que ele foi escolhido pelo Toronto Raptors no draft de 2009 e acompanhei sua trajetória ao longo dos anos, torcendo enquanto DeRozan deixava de ser um novato relativamente desconhecido para se tornar um símbolo do time, o Sr. "Eu sou Toronto". Também foi lindo ver surgir a amizade de DeRozan com um de seus colegas de quadra, Kyle Lowry, a ponto deles falarem em uma entrevista bastante sincera sobre como os dois tinham uma ligação que "ia além da amizade", publicamente demonstrando vulnerabilidade e intimidade um com o outro, uma abertura que nem todo atleta profissional se permite ter. DeRozan sempre foi tranquilo e amigável, com um sorriso no rosto. Por isso, tantas pessoas se chocaram com a notícia da sua depressão.

Mas essa é a face enganosa da depressão e dos transtornos de saúde mental em geral quando se trata de esportistas, pessoas que vemos como "duronas", pois é muito difícil detectar que eles possam estar sofrendo se tudo o que vemos em campo ou na quadra é um atleta sendo "uma fortaleza". Com frequência, também presumimos que os salários astronômicos dos jogadores excluem a possibilidade deles terem problemas ou transtornos de saúde mental, como o resto da humanidade. E sabemos que não é bem assim. Em uma entrevista para a revista Slam, DeRozan elaborou um pouco mais sobre sua declaração anterior, desta vez falando que:

> É uma dessas coisas que, por mais indestrutível que a gente possa parecer, revela que somos todos humanos no final das contas. Todos temos sentimentos. Essas coisas acabam com a gente e, de vez em quando, parece que você está carregando todo o peso do mundo.[1]

Quando admitiu sofrer de depressão, DeRozan recebeu um grande apoio dos torcedores, um grupo no qual me incluo, pois senti uma forte conexão com as suas dificuldades e com a sua história devido à minha própria experiência. A fala de DeRozan também levou outros jogadores da NBA a falarem mais abertamente sobre seus problemas de saúde mental, como o armador Kelly Oubre Jr., do Washington Wizards, cuja família foi dizimada pela tragédia do furacão Katrina. Em certa ocasião, Oubre Jr. disse:

---

[1] MUTONI, Marcel. Demar DeRozan addresses depression tweet. **Slam**. 26 de fevereiro de 2018. Disponível em: https://bit.ly/3c49Ee5.

Eu com certeza consigo me identificar com essas questões todas... Sou muito bom para fingir uma cara de que nada está acontecendo, porque, quando eu era menor, meu pai sempre me dizia: "Não deixe ninguém ver você sendo fraco". Então ninguém vê que eu estou me sentindo fraco, mas, bem lá no fundo, eu estou passando por um monte de coisa pesada. A vida vira um inferno.[2]

Campeão da NBA em 2016 e cinco vezes selecionado para o Jogo das Estrelas, o ala-pivô do Cleveland Cavaliers, Kevin Love, foi outro que expôs seus sentimentos para o público, depois que ele precisou abandonar um jogo em novembro de 2017 devido a um agressivo ataque de pânico. Sobre o assunto, Love escreveu — em um artigo para a revista The Player's Tribune, intitulado *Everyone is going through something* ("Todo mundo está passando por alguma coisa")[3] — que aquela tinha sido sua primeira ocorrência do tipo, e que ele antes nem sabia dizer se ataques de pânico eram coisas reais ou não, perspectiva que se transformou depois dele começar a ir para a terapia e mudar seus entendimentos sobre as questões de saúde mental. E o resultado de toda essa discussão foi o seguinte: falar sobre esses assuntos não fez os jogadores parecerem menos homens, ou menos masculinos. Pelo contrário, as revelações fizeram com que eles ganhassem muito mais respeito e apoio, atuando como referências que motivaram mudanças. Mais tarde, a NBA inclusive anunciou o primeiro diretor de saúde mental e bem-estar da sua história — um exemplo de

---

2 ALLEN, Scott. Kelly Oubre Jr. joins NBA players sharing mental health struggles: "we're normal people, man". **Washington Post**. 8 de março de 2018. Disponível em: https://wapo.st/2XCZJqq.

3 LOVE, Kevin. Everyone is going through something. **The Player's Tribune**. 6 de março de 2018. Disponível em: https://bit.ly/3emrJpc.

mudança em nível estrutural. Ou seja, delicados momentos de vulnerabilidade por parte de jogadores de elite, como é o caso dos atletas da NBA, que estão no auge da sua forma física e, em média, pesam cem quilos e medem algo em torno de dois metros de altura — enquanto o norte-americano médio mede um metro e setenta e quatro —, destroem a hipótese de que um homem precisa ser sempre forte, ou que os homens são fracos se forem emotivos e sensíveis.

É um entendimento que precisamos estender a muitos outros esportes, pois ainda temos inúmeros casos nas sombras. No futebol, Danny Rose, por exemplo, jogador do Tottenham Hotspurs e da seleção inglesa, revelou, em uma entrevista antes da Copa do Mundo de 2018, que luta contra a depressão, contando ainda que muitas vezes ela o impossibilita de sair da cama de manhã. De passagem, Rose inclusive comenta: "A situação me levou a ver um psicólogo e fui diagnosticado com depressão, e é a primeira vez que falo a respeito".[4]

COMUNIDADE, COMPETIÇÃO E DISCÓRDIAS

Existe uma categoria intrínseca de competitividade que pode ser um efeito social do que se espera de um homem — Jordan S.

A masculinidade não se manifesta da mesma forma em todos os esportes, ela é, em grande parte, influenciada pela cultura do que é aceitável ou não dentro de cada atividade. Quero dizer, embora em todos os esportes existam

---

[4] KELNER, Martha. Danny Rose opens up about depression after tragedy and tough year at Spurs. **The Guardian**. 6 de junho de 2018. Disponível em: https://bit.ly/3d7yU4z.

regras em torno do que é compreendido como sendo uma masculinidade "respeitável", cada jogo tem seu próprio conjunto de "rituais" culturais, assim como cada um possui seus pontos fortes e seus desafios no que diz respeito a atletas e torcedores.

O futebol, por exemplo, é um esporte global que congrega pessoas de diferentes nações e culturas, mas nele encontramos o "hooliganismo", um termo usado para descrever comportamentos agressivos, violentos e/ou arruaceiros por parte de torcedores de um time específico contra a torcida de uma equipe adversária, vista na verdade como arqui-inimiga. Para muitas pessoas, no entanto, esse "hooliganismo" nem sempre é entendido na sua dimensão de violência, muitas vezes ele é visto apenas como uma maneira dos homens formarem laços e estreitarem as noções de companheirismo, experimentando fortes emoções e uma profunda descarga de adrenalina, enquanto criam e interpretam uma identidade masculina construída nos labirintos do jogo. Todo esse cenário complexo é muito bem apresentado no cultuado filme independente *Green street hooligans* (no Brasil, "Hooligans"), de 2005, que amplia o horizonte sobre o assunto por meio de um retrato cheio de nuances da realidade dos hooligans: cada personagem da trama possui seu próprio universo profissional, incluindo aí um professor de escola primária, e vemos como as ações e os vínculos de grupo se formam lentamente entre esses homens, um movimento parecido com o tipo de masculinidade que surge em *Clube da luta* (1999), isto é, um desejo de pertencer a algum lugar — um tipo de comunidade que os esportes são especialistas em proporcionar.

Bom, com uma ressalva importante: se os esportes podem dar aos homens um senso de comunidade e um lugar para formação de laços, eles também podem se tornar uma arena de graves confrontos. Em 2018, por exemplo, um grupo chamado *Democratic football lads alliance* (ou "Aliança democrática dos caras do futebol"), cujos integrantes desfrutavam de ligações com a extrema direita, organizou uma marcha fascista, coordenada por um sujeito que, a respeito das motivações do evento, alegava que eles estavam protestando contra a "volta dos jihadistas" e contra os "imigrantes parasitas". Mas esta passeata teve seu percurso bloqueado por manifestantes antifascistas e feministas, e a polícia precisou intervir no conflito.

Daí chegamos a um ponto-chave da questão, como escreveu o professor universitário Robert Hoggs: "Esportes de contato, como o rúgbi [e o futebol], precisam ser reconhecidos pelo que são: demonstrações ritualizadas e repetitivas de hipermasculinidade, representadas por homens e direcionadas para homens".[5] Na sua análise, Hoggs faz uma distinção entre esportes de contato e esportes sem contato, e como essa via de mão dupla se relaciona com a masculinidade: esportes como rúgbi, futebol e futebol americano são acusados de estimularem comportamentos hipermasculinos e agressivos, tanto dentro de campo quanto fora dele, o que, para Hoggs, não parece acontecer com tanta veemência em esportes sem contato, como basquete, tênis, críquete ou atletismo.

De todo modo, com ou sem contato, não é incomum vermos uma energia competitiva se transformar em violência e agressividade nos esportes masculinos — ao contrário dos esportes femininos, onde não vemos casos de violência irrompendo com tanta frequência, apesar das mulheres encararem o jogo com a mesma seriedade e quase sempre com a mesma competitividade dos homens. E essa agressividade nos esportes ainda tem um efeito que repercute no

---

5 HOGG, Robert. **Masculinity and violence: the men who play rugby league**. **The Conversation**. 17 de maio de 2013. Disponível em: https://bit.ly/2X5nOr6.

público, como acompanhamos em um incidente ocorrido em 2004 durante um jogo da NBA entre o Indiana Pacers e o Detroit Pistons, que ficou conhecido como *malice at the palace* ("maldade no palácio", em referência ao Palace of Auburn Hills, ginásio onde jogam os Pistons e local onde ocorreu a confusão) e que acabou virando uma briga generalizada envolvendo não só os jogadores em quadra como também os torcedores na arquibancada. Foi brutal. Depois do tumulto, o comissário da NBA na época, David Stern, instituiu uma política de restrição, incluindo um código de vestuário para todos os profissionais presentes nos jogos, mais protocolos de segurança e um limite para a venda de álcool nos ginásios. Aos poucos, essas novas regras levaram a uma mudança na transigência e na expressão dos jogadores, assim como dos torcedores, e muitos atletas, como Russell Westbrook, por exemplo, se tornaram ícones de estilo, usando cores berrantes e roupas apertadas que normalmente seriam consideradas femininas ou emasculantes.

A outra face do problema está exposta no artigo intitulado *Whether teams win or lose, sporting events lead to spikes in violence against women and children* ("Tanto faz se os times ganham ou perdem, eventos esportivos levam a picos de violência contra mulheres e crianças"), onde a autora, Melanie Pescud, professora visitante da Universidade Nacional da Austrália, relata que, em todos os eventos esportivos, em nível nacional ou internacional, como a Copa do Mundo de futebol, a grande final do futebol australiano ou a Melbourne Cup de turfe — e até em eventos menores, como o rodeio Calgary Stampede, no Canadá —, os homens são mais agressivos e violentos com suas parceiras e filhos, às vezes até 40% mais do que em situações normais.[6] Algumas pessoas ligam essa preocupante estatística a uma cultura etílica ou ao aumento no consumo de álcool durante os eventos esportivos, mas essa é uma abordagem reducionista, já que toda a situação precisa ser analisada dentro de uma cultura na qual a agressividade masculina e a competitividade são elementos constitutivos.

DIVERSIDADE NOS ESPORTES

Os esportes enfrentam certos desafios quando precisam lidar com as questões envolvendo diversidade, inclusão e representatividade. De um lado, temos modalidades como o tênis e o rúgbi, considerados esportes de classe média e em grande parte compostos por jogadores brancos, enquanto, do outro lado, temos esportes como o futebol, mais diversos e mais ligados à classe trabalhadora, se analisarmos tanto o perfil dos torcedores quanto a origem da maioria dos jogadores. Sobre este quadro, David Whelan, escrevendo em 2015 para a Vice Sports, aponta:

> Nos últimos vinte e oito Grand Slams, apenas um jogador não branco competiu em uma final masculina — Jo-Wilfried Tsonga, no Aberto da Austrália de 2008. Hoje, temos apenas dois jogadores negros entre os cinquenta primeiros do ranking da ATP, e apenas um da Ásia. E, desde que o ATP Tour começou, em 1990, apenas Michael Chang e Tsonga ganharam um título do Masters 1000. Estatisticamente, é mais fácil entrar para a faculdade de direito de Har-

---

6   PESCUD, Melanie. Whether teams win or lose, sporting events lead to spikes in violence against women and children. **The Conversation.** 12 de julho de 2018. Disponível em: https://bit.ly/3d9DYFk.

vard do que ver um jogador negro ou asiático ganhar um Grand Slam nas próximas décadas.[7]

Ao mesmo tempo, enquanto um esporte como o futebol é bem mais diverso em termos de configuração dos times, essa pluralidade nem sempre se traduz em aceitação e inclusão. Uma pesquisa do Sky Data Poll, por exemplo, feita em 2019, revelou que cerca de 71% dos torcedores negros, asiáticos e de outras minorias étnicas foram vítimas de xingamentos racistas em pelo menos uma ida ao estádio no Reino Unido.[8] E os jogadores, assim como os torcedores, também têm compartilhado as suas várias experiências de racismo durante as partidas.

Mas a situação é ainda pior quando pensamos na questão da sexualidade: os esportes competitivos precisam desesperadamente melhorar o seu tratamento para os atletas e figuras esportivas gays. Existem pouquíssimos atletas abertamente gays, em todas as modalidades, e os esportes coletivos, mesmo nos ambientes escolares, insistem em ser uma área bastante excludente para pessoas gays,[9] o que só reforça o debate do quanto este universo é influenciado por uma cultura baseada em "testosterona, insultos e chuveiros comunitários", de acordo com as palavras do atacante do Chelsea e jogador da seleção francesa, Olivier Giroud, que diz ser quase impossível alguém sair do armário no futebol, pois o futebol está a anos-luz de aceitar jogadores abertamente gays. Ainda assim, alguns avanços foram registrados: Cyd Zeigler, por exemplo, escrevendo no OutSports.com, cita alguns casos de jogadores gays que saíram do armário

---

7   WHELAN, David. Does tennis have a race problem? **Vice Sports**. 18 de junho de 2015. Disponível em: https://bit.ly/2XEDfWp.
8   HUGHES, Geraint. Sky data poll: nine in ten football fans have witnessed racism. **Sky News**. Disponível em: https://bit.ly/2XBZgF5.
9   EQUALITY NETWORK. **Out for sport: the facts**. Disponível em: https://bit.ly/3eCqfrd.

e tiveram carreiras de sucesso, como Robbie Rogers, que revelou sua sexualidade em 2013 e depois ganhou a MLS Cup com o LA Galaxy, ou então o ex-jogador da NBA Jason Collins, do Brooklyn Nets. E esperamos por mais: independente do progresso dos últimos anos, sempre podemos ter mais representação e receptividade, entre jogadores e torcedores, para a comunidade LGBTQ+ nos esportes. Até porque o cenário é favorável. Um relatório da Stonewall divulgado em 2018 aponta que 58% dos britânicos acham importante reprimir a linguagem anti-LGBT nos eventos esportivos, enquanto apenas 25% dos entrevistados se sentem à vontade para continuar com comentários depreciativos nos estádios,[10] uma prova de que as atitudes estão mudando, mas que as pessoas ainda precisam de ambientes esportivos no quais se sintam confiantes para avançar nos seus posicionamentos.

EMOÇÃO E VULNERABILIDADE NOS ESPORTES

Homens expressando intimidade e proximidade... Bom, essa habilidade realmente não nos foi ensinada na sociedade ocidental — Jordan H.

Se os esportes competitivos podem incentivar um clima de agressividade, o esporte também é um dos poucos lugares nos quais os homens se sentem à vontade para se expressar, onde eles podem se envolver e se conectar uns aos outros. Além disso, ele é um dos poucos e raros espaços onde os homens podem demonstrar vulnerabilidade emocional e chorar, sem achar que suas lágrimas comprometem

10 STONEWALL. **Stonewall reveals Brits find it hard to challenge anti-LGBT abuse in sport**. Disponível em: https://bit.ly/3daMuE2.

a sua identidade enquanto homem, ou mesmo a percepção dos outros a seu respeito. Inclusive, aqui vão alguns clássicos momentos de partir o coração, ou de atletas chorando, com os quais todo mundo se relaciona até hoje:

- As lágrimas dos jogadores brasileiros após perderem de 7 a 1 da Alemanha na semifinal da Copa de 2014, em pleno Mineirão. Ou Gareth Southgate perdendo um pênalti contra a Alemanha na semifinal da Euro 96.
- Michael Jordan durante seu discurso de entrada no Hall da Fama do Basquete (se você não sabe do que se trata, provavelmente vai reconhecer essa cena como a forma alternativa do meme de Michael Jordan chorando — este discurso foi o início do frenesi na internet).
- LeBron James ganhando o título da NBA em 2016 e levando a sonhada taça à sua cidade natal, Cleveland: "Cleveland, esse troféu é de vocês".
- O superastro do tênis Roger Federer depois de derrotar Pete Sampras, depois de perder para Rafael Nadal, depois de ganhar o Aberto dos Estados Unidos, ou o Aberto da Austrália, ou o torneio de Wimbledon — ou seja, Federer basicamente chora com regularidade (e isso é emocionante), tanto que até existe um vídeo no YouTube mostrando os "10 melhores choros de Roger Federer".
- Quase todo homem que vence uma final de Olimpíada, ou que perde depois de ficar dramaticamente perto de ganhar.

São inúmeros exemplos de atletas chorando em diferentes competições esportivas: os esportes são vistos como uma causa nobre e justa para os homens na sociedade, permitindo um nível de expressão emocional que, de outra forma, seria castigada — apenas imagine um homem chorando no trabalho após ter terminado um projeto com sucesso ou chorando depois de ter perdido um cliente e aí você vai ter uma ideia geral da coisa.

Eu mesmo passei por várias experiências do tipo. No início dos anos 2000, por exemplo, meu time de basquete tinha chegado à final da copa nacional inglesa, disputada no Crystal Palace, que era o grande centro do basquete britânico naquela época. Nós perdemos por somente seis pontos, contra um time que já tínhamos derrotado duas vezes durante a temporada regular. Depois do jogo, ficamos no vestiário: eu estava virado em lágrimas, assim como vários dos meus colegas de time, mas o sacrifício, a emoção, a dor, tudo isso era considerado normal, era compreensível. E nem era o primeiro título nacional que a gente disputava, ou tampouco a primeira competição, ou sequer o primeiro jogo, em que a gente chorava por causa do resultado. Hoje, olhando em retrospecto, não consigo me lembrar de nenhuma outra situação em que nós todos estaríamos chorando daquele jeito, especialmente de uma maneira que era aceita por todo mundo. Eu nunca tinha visto um grupo de jovens homens chorando tanto, nem mesmo em um funeral. Os laços que formamos em nosso time, e através do esporte em geral, nos permitiam nos expressarmos e nos conectarmos de maneiras que não seriam possíveis em outra situação.

Sendo assim, a vulnerabilidade e as emoções masculinas no esporte podem ter uma influência radical e progressiva em como a masculinidade é vista na sociedade como um todo. O esporte é um poderoso condutor da mudança, não apenas em um nível político, mas também pessoal. No entanto, para que a masculinidade no esporte ganhe outros contornos, essa transformação precisa começar de baixo, lá no nível local e comunitário, para depois dar um jeito de subir os degraus. Neste sentido, por mais que os treinadores ajudem no desenvolvimento físico e esportivo dos seus jogadores e atletas, eles também devem ter a mesma preocupação com o desenvolvimento emocional dos seus comandados, ajudando os jogadores a lidarem com a competição e a adversidade, tanto no mundo do esporte quanto fora dele — é esse gesto que vai nos provocar a esperança de um impacto realmente relevante na maneira como os torcedores se conectam aos jogos, bem como nos comportamentos que são aceitos dentro e fora das quatro linhas. E, se esse movimento tiver o apoio da camada superior do mundo esportivo, nos times profissionais, nas grandes marcas e nas instituições, tudo que vimos até hoje no esporte vai mudar.

CONCLUSÃO
O HOMEM NO ESPELHO: TRANSGRESSÃO E TRANSFORMAÇÃO

O patriarcado pode parecer onipresente: ele parece consumir nossas energias, englobar todo e qualquer cenário, parece controlar todos os aspectos da nossa vida, desde a maneira como nos vemos até a maneira como interpretamos os outros, dos nossos relacionamentos e amizades até os laços familiares, da identidade até oportunidades e experiências. Ainda assim, ao mesmo tempo, ele sabe muito bem como ser invisível. Ou melhor, muitas vezes, o peso do patriarcado é gigantesco, mas, quando carregamos um fardo por muito tempo, nós nos esquecemos de como tudo era antes, quando não precisávamos carregá-lo. Começamos a achar que suportar aquela carga nos nossos ombros é uma coisa absolutamente normal, ao invés de pensarmos no que poderia ser feito para facilitar o nosso trabalho — ou no quão livres seríamos sem aquele peso atrapalhando a vida.

Desde muito cedo, ouvimos todo tipo de prescrição a respeito da masculinidade, sobre como devemos ser enquanto meninos e sobre como devemos ser enquanto homens, como se esse regramento fosse algo normal, natural ou até mesmo absoluto. Ouvimos que é assim que as coisas são e é assim que devem ser, que nenhuma outra maneira foi ou será possível. Quando crescemos, no entanto, nós aumentamos nossa carga de leitura, vivemos a vida e encontramos pessoas que mudam as nossas percepções, além de nos informarmos melhor sobre as diferentes culturas e diferentes períodos históricos. Nós nos tornamos mais inquisitivos, começamos a fazer perguntas e a encontrar algumas respostas, mas elas apenas nos levam a mais e mais perguntas. E, ainda que as perguntas fiquem cada vez mais complexas, logo percebemos que as respostas não vão necessariamente aparecer, e aos poucos vamos nos fortalecendo como pessoas, vamos mudando e ficando mais à vontade com quem somos e com a nossa forma de interpretar o mundo.

O sistema e a ideologia do patriarcado catequizam tanto os homens quanto as mulheres sobre o que é a masculinidade e também a virilidade, sobre o que é ser um menino e o que significa ser um homem. Mas esse é um sistema e uma ideologia que foram criados e são mantidos pelos indivíduos, e, por isso, eles podem ser modificados, transformados e erradicados da mesma forma, também pelos indivíduos. Para tanto, antes de mais nada, precisamos que as pessoas estejam cientes do problema, e que tenham paixão e consciência suficientes para conseguirem fazer algo a respeito. Não apenas para o seu próprio bem, mas também para o bem dos outros. Digo isso porque uma das minhas maiores motivações para escrever este livro sobre masculinidade foi o quanto eu teria amado ler um texto assim na adolescência, enquanto eu lidava, e muitas vezes me debatia, com as minhas próprias masculinidades. Me lembro das inúmeras noites que passei aos prantos, me contorcendo de dor, submerso em uma confusão emocional e à beira da autodestruição, depressivo, ou até pior, raivoso e cheio de ódio, com o mundo e comigo mesmo. Sem falar que essa raiva me atravessava sem que eu tivesse alguém para ouvir meus lamentos, o que me deixava ainda mais com a sensação de que o fardo que eu carregava era pesado demais e que tinha alguma coisa errada comigo — porque, ao contrário dos outros homens na minha vida, de acordo com a leitura que eu fazia na época, eu não era forte o suficiente para aguentar o tranco. Eu penso em todas essas questões e penso também nos anos que teriam sido poupados se lá atrás eu tivesse encontrado alguém para conversar, para me abrir e para ter conversas como as que são evocadas neste livro, para que eu pudesse me entender melhor e desaprender o que fui condicionado a acreditar sobre a minha masculinidade, para que eu pudesse entender que não tinha nada de errado *comigo*, tinha algo de errado com *isso*.

Penso ainda em como os jovens de hoje sofrem muito mais pressão para atingir os padrões e expectativas quase sempre irrealistas que a sociedade estabelece para eles. Penso no quão hiperexpostos esses jovens estão à negatividade, por meio do bombardeio de conteúdo da mídia de massa e das redes sociais, e no quão crítico e importante um livro como este pode ser para um menino ou homem que esteja questionando a sua própria identidade masculina — um indivíduo que pode estar justamente agora se sentindo em conflito por chorar ou por ser vulnerável, se sentindo menos homem devido às suas emoções, à beira de um ataque de nervos que pode levar à depressão ou ao suicídio. Será que livros como este podem dar apoio e ajudar a validar a nossa existência? Independente da relação, uma mãe, uma tia, uma irmã, uma amiga ou uma namorada podem se preocupar com os garotos ou com os homens na sua vida e querer ter uma melhor compreensão da experiência masculina, sobre a qual tão pouco se escreve além dos estereótipos patriarcais, oferecendo um apoio essencial. Ou quem sabe textos como este sejam úteis para uma jovem ou uma mulher em desenvolvimento, uma mulher tentando entender o sistema do patriarcado que cerca e domina a sua vida, uma mulher tentando entender as ligações entre a brutalidade atual e a brutalidade sofrida pelas várias gerações de mulheres antes dela. Livros como este precisam existir na nossa época porque o sistema do patriarcado deve ser desmantelado, ainda mais neste momento em que as fissuras no sistema estão começando a ser notadas por cada vez mais pessoas: se quisermos um dia viver em um mundo igualitário, então nós todos precisamos trabalhar para que isso aconteça.

Do meu lado, o que eu posso dizer é o seguinte: ao longo dos meus muitos anos de experiência com meninos, jovens e homens mais velhos, trabalhando em escolas, universidades, centros para a juventude, quadras de basquete e bibliotecas, atuando com garotos em situação de risco, jovens infratores e ex-infratores, estudantes suspensos ou expulsos, alunos especiais e adolescentes enfrentando questões de saúde mental, além da minha experiência pessoal com a masculinidade e o patriarcado, com todas as minhas dificuldades da juventude e da vida adulta, eu compilei uma lista com dez possíveis planos de ação. Esses planos de ação podem ser seguidos em um nível intrapessoal ou interpessoal, em nível comunitário e local, para ajudar a criar uma visão radicalmente nova e transformadora da masculinidade, afastada dos estereótipos patriarcais que nos assolam até os dias de hoje. E aqui vão eles:

Abandone a raiva: Muitos meninos e homens carregam dentro de si uma raiva e uma fúria do tipo "eu contra o mundo", que apenas se intensificam quando eles envelhecem e terminam sem solução nenhuma, um sentimento que pode ser mais intenso na adolescência, entre os treze e os dezenove anos, e que pode se estender ou ser acionado em um momento ou evento específico na idade adulta. Esta raiva é frequentemente a emoção padrão dos homens, não apenas porque ela vem mais fácil ou de maneira natural, mas em grande parte porque aos homens é sempre dito que eles não são seres emocionais, a ponto da própria raiva não ser vista como uma emoção. O problema é que em geral essa raiva se transforma em violência, que se torna a principal linguagem da expressão masculina. Me lembro, inclusive, de passar muito tempo da minha adolescência com raiva do mundo, de tudo ao meu redor, e às vezes também de mim mesmo, sem nunca entender o porquê. Normalmente, a raiva era represada dentro de mim, mas, nas poucas ocasiões em que ela foi liberada, aconteceu algo de destrutivo — e, embora essa destruição tenha sido catártica em alguns aspectos, ela trazia pouca ou nenhuma resposta para meus problemas. Olhando em retrospecto, aliás, sequer consigo me lembrar de um motivo específico para tanta raiva, apenas lembro da intensidade da emoção. Portanto, para abandonar a raiva, precisamos antes reconhecer que ela está lá, e que ela é destrutiva. O passo seguinte é controlá-la e encontrar uma válvula de escape para ela.

Todo homem deve ter um diário: escreva seus pensamentos, sentimentos, ansiedades e experiências (o que é bem diferente de escrever um registro de metas e objetivos), com a maior frequência possível, tanto faz se todos os dias ou uma vez por semana. E tudo bem que, na falta de terapia, ou na falta de ter alguém com quem conversar (já que vamos excluir desta lista as relações íntimas, pois as parceiras e parceiros não servem como terapeutas), dar o primeiro passo nessa direção vai parecer um grande salto.

Mas escrever como você se sente pode ser uma maneira de se comunicar com você mesmo sob uma perspectiva positiva, podendo aliviar a tensão e a fúria de uma experiência traumática que permanece escondida até começarmos a falar sobre ela. Ter um diário também pode desfazer um preconceito recorrente, pois é até irônico como os homens são educados na crença de que os diários são coisas de mulher, quando na verdade eles podem mudar nossas vidas para melhor. De fato, existem muitos benefícios comprovados de se ter um diário, ou de se anotar os pensamentos e sentimentos, como, por exemplo, se tornar mais consciente e desenvolver a inteligência emocional. É o que indica o professor James Pennebaker, da Universidade do Texas, que pesquisa os efeitos da escrita no funcionamento imunológico e comenta que escrever ajuda a estruturar e a organizar os sentimentos de ansiedade. E, como os homens são menos propensos a confidências do que as mulheres, escrever em um diário é uma maneira do sujeito se conhecer em relação aos seus sentimentos, mantendo a própria privacidade e não sendo obrigado a falar com ninguém a respeito.

A responsabilidade dos homens: Os homens (incluindo os mais jovens) precisam assumir a responsabilidade e também responsabilizar os outros homens pelos benefícios que eles desfrutam em função dos privilégios masculinos e do patriarcado, em um trabalho ativo para mudar esta situação — isto é, os homens precisam agir para mudar os demais homens. Me lembro, por exemplo, que, ao crescer na minha comunidade congolesa, os homens costumavam se reunir e interceder em todos os assuntos relacionados a outro homem: fosse uma questão doméstica, pessoal, financeira, um funeral ou qualquer outra coisa, o grupo se reunia e os homens recebiam conselhos e apoio. No entanto, o mais importante é que a necessidade de mudança era ressaltada, o que raramente vemos acontecer nas nossas sociedades contemporâneas. Pelo contrário, com as comunidades se tornando mais fraturadas e dispersas, perdeu-se, na época atual, algo da responsabilidade e do cuidado que se tinha com outras pessoas, e os homens intervêm cada vez menos em casos flagrantes de misoginia ou de abuso. Claro, talvez essa renúncia ocorra em parte devido ao medo, mas não dá para negar que aí também desponta um desejo de manter para si uma fatia do bolo do patriarcado. E só vamos conseguir ultrapassar todo este cenário desolador da atualidade quando entendermos que a responsabilidade é de cada um de nós.

Grupos de apoio para homens: Alguns anos atrás, eu costumava me encontrar com uma turma de amigos para almoçar nos sábados à tarde. Essas reuniões começaram organicamente, com dois integrantes do grupo se encontrando por acaso na rua e se dando conta de que nós todos morávamos na mesma região e íamos ao mesmo café. Na sequência, ao longo de várias semanas e meses, chamamos alguns outros amigos para se juntarem à mesa e, em algum momento, acabamos percebendo que éramos de oito a dez homens se reunindo todo sábado à tarde. Falávamos de qualquer assunto, sobre nossos empregos e carreiras, sobre família, esportes, relacionamentos (ou na verdade sobre os términos) e também sobre o estado de espírito de cada um. Às vezes era bem engraçado, às vezes a coisa se tornava bastante pessoal. Mantivemos esse compromisso por quase dois anos e, com o tempo, com alguns integrantes do grupo se mudando ou tendo outros almoços para ir, a frequência diminuiu. Depois que paramos de nos encontrar, um amigo daquela época me contatou para agradecer por convidá-lo todo sábado. Ele me disse que estava passando por uma fase bem ruim na vida durante o período, com sérios problemas de depressão, e que aqueles encontros regulares davam a ele um espaço para respirar. Eu não tinha a menor ideia do que estava acontecendo com ele quando sentávamos para almoçar — ele sempre parecia jovial, barulhento e entusiasmado. E a minha desatenção me fez entender o quanto os problemas de saúde mental e batalhas pessoais podem passar pela nossa frente sem serem notados, mesmo atingindo os nossos amigos mais íntimos, o que só reforça o quão relevante é ter uma comunidade ao redor, um lugar onde possamos nos reunir para rir e se lamentar.

Em outras palavras, a importância dos grupos de apoio e de amizade masculina é gravemente subestimada. Os homens são muitas vezes acusados de terem amizades superficiais que são centradas no sexo ou no esporte, mas, na verdade, as amizades entre homens são mais profundas do que essa dicotomia pode sugerir: elas apenas não se manifestam da mesma maneira que as amizades entre mulheres. Os homens conseguem se abrir, assim como qualquer outra pessoa, mas essa abertura depende, em larga medida, de um espaço livre de julgamentos — ao mesmo tempo em que, paradoxalmente, esse espaço também não pode ser apenas focado em "se abrir" ou na saúde mental, pois pode se tornar intimidador. Se você for homem e tiver um grupo de amigos com quem você se encontra com regularidade, observe como a dinâmica funciona para você. Tente criar e cultivar um tipo de universo no qual você se sinta à vontade com os demais, seja rindo ou chorando. Você vai se surpreender com a quantidade de homens que, sem se dar conta do fato, estão procurando e precisam de espaços seguros e do apoio dos amigos.

Linguagem: *Masculinidade ou Masculinidades* — a linguagem tem uma influência profunda na maneira como vemos o mundo. Enquanto seres humanos, nós damos nomes às coisas e, com essas coisas podendo ser tanto objetos quanto expressões ou ideias, é através dos seus nomes que conseguimos criar um jeito de compartilhar um sentimento ou um pensamento com outras pessoas. Portanto, ao invés de falarmos em apenas uma masculinidade, deveríamos tentar pluralizar a ideia de masculinidade, nos referindo a ela como "masculinidades", para assim representar a identidade masculina como algo não singular, para mostrar que ser um homem é um ato que se desenvolve em múltiplos formatos, sendo um conjunto identitário complexo, multifacetado, fluido, dinâmico e sempre mutável. Este reconhecimento das "masculinidades" existe há muito tempo nos círculos acadêmicos, desde o fim dos anos 1980 e início dos anos 90, por meio de pesquisadores como R. W. Connell, que discutimos no capítulo 1. No entanto, essa abordagem ainda não se expandiu pela esfera pública nas discussões sobre a masculinidade[1], e é um movimento necessário: temos muito a ganhar com uma linguagem que estimula o desenvolvimento humano, uma linguagem que incentive e reforce noções positivas e versões mais complexas e transformadoras da masculinidade e da virilidade. Ou seja, o poderoso papel da linguagem também pede um esforço conjunto para enfrentarmos a linguagem misógina e sexista que está tão difundida por aí, normalizando estereótipos e a divisão entre gêneros.

Educação para o consentimento: Como eu já disse antes, os jovens devem ser ensinados sobre o consentimento como parte da educação sexual. Não devemos apenas

---

[1] Tanto que passei a maior parte deste livro me referindo a ela como masculinidade, ao invés de masculinidades. O motivo é que, para muitos leitores, este trabalho será uma apresentação ou um ponto de partida para a conversa, e é importante que encontremos as pessoas onde elas estão — pois é a partir daí que o diálogo avança.

aprender sobre proteção, segurança, gravidez e prevenção de DSTs, mas também sobre o consentimento — sobre dizer sim ou não, sobre entender as pressões que influenciam as nossas escolhas, garantindo que meninas e meninos, assim como mulheres e homens, não se sintam obrigados a fazerem sexo, nem compelidos a revogar o seu consentimento, ao mesmo tempo em que nos esforçamos para educar meninos e homens para o fato de que eles não têm direito sobre os corpos das meninas. Um bom exemplo é a iniciativa da *No means no worldwide* (algo como: "Não é não no mundo todo") — uma organização global pela prevenção do estupro, cuja missão é acabar com a violência sexual contra mulheres e crianças —, que introduziu, no Quênia, um programa ensinando defesa pessoal às meninas e masculinidade positiva aos meninos. Com este trabalho, houve uma queda de 51% nos casos de estupro e de 46% nos abandonos de escola devido à gravidez, e 73% dos garotos se empenharam para impedir ataques. Portanto, se formos ensinados de que o estupro é sempre culpa do estuprador, e se formos ensinados a compreender as complexidades do consentimento sexual, a culpabilização das vítimas será um assunto enfim confrontado com rigor e, como a campanha da *No means no* comprovou, os efeitos que veremos serão positivos.

Zonas de conversa: Com a incidência de suicídios sendo tão alta entre os homens, principalmente na faixa etária que vai dos dezoito aos trinta e quatro anos de idade, uma iniciativa importante é a criação de espaços seguros chamados de "zonas de conversa". Essas zonas de conversa são ambientes comunitários baseados em uma lógica de confiança, nos quais alguém pode se oferecer para escutar ou falar com uma pessoa que esteja precisando de apoio. No Zimbábue, por exemplo, foi feito um teste com "bancos de amizade", onde pacientes com questões de saúde mental conversavam abertamente e em público com seu terapeuta ou cuidador, algo que mostrou ter efeitos positivos no bem-estar dos envolvidos no projeto. Uma estratégia semelhante foi adotada em várias cidades do Reino Unido — em especial em metrópoles como Londres, onde as pessoas têm muito pouco tempo para interações sociais no meio da rua, e onde muitas pessoas enfrentam o problema de se sentirem sozinhas em meio à multidão —, através de bancos ou áreas demarcadas, o que, tal como na experiência do Zimbábue, trouxe benefícios para a população das regiões contempladas. É um avanço: nos últimos anos, os homens estão sendo incentivados a se abrirem mais, mas esse é um processo delicado, pois o indivíduo pode se sentir como um peso para os outros, uma vez que a repressão dos sentimentos é tudo que a pessoa conhece. Tanto que às vezes pode ser mais fácil falar sobre seus problemas com um estranho — até porque a terapia pode ser de difícil acesso, devido a questões financeiras ou pela ausência de serviços comunitários (em decorrência de cortes nos orçamentos e estruturas, como vimos no capítulo 2). Assim, as zonas de conversa podem ser parte de uma mudança cultural decisiva, ajudando as pessoas a buscarem novas formas de envolvimento emocional e potencialmente levando a importantes consequências positivas no longo prazo.

Pais e responsáveis: Com o pretexto de que "meninos são assim mesmo", os garotos são criados com um maior senso de direito adquirido do que as garotas, e o que vemos são as meninas enfrentando muito mais expectativas e cobranças para que sejam maduras, boas e "comportadas", tudo isso com um grau de obrigatoriedade que não se verifica no caso dos meninos. Para termos uma mudança real, no entanto, precisa existir um nível paritário de educação e exigência sobre os meninos para que eles possam amadurecer e evoluir: se os pais ou responsáveis conversarem com os garotos desde cedo para fazê-los entender o patriarcado e as expectativas colocadas sobre os homens na sociedade, eles podem se tornar mais capacitados para lidar com essa questão bem antes que precisem viver todos os seus aspectos na prática, entendendo de uma maneira categórica que eles não precisam aderir ao patriarcado ou aceitá-lo como uma entidade absoluta, ou mesmo como a verdade. Afinal de contas, como disse Frederick Douglass, "é mais fácil criar crianças fortes do que consertar homens estragados".

Leituras: Essa é uma das ferramentas mais transformadoras que podem ser usadas para despertar a consciência de uma pessoa. E eu enfaticamente acredito que todo indivíduo do sexo masculino deve ler livros e textos feministas que esclareçam suas dúvidas a respeito do patriarcado e da masculinidade, assim como cada um de nós deve ler e conhecer as múltiplas experiências vividas pelas mulheres, para que os homens ganhem pelo menos mais consciência sobre a desigualdade de gênero na sociedade — instituições de ensino, inclusive, devem apoiar este movimento. Ao mesmo tempo, como meninos e homens, devemos nos esforçar para ler mais romances escritos por mulheres e que tenham mulheres como protagonistas, porque, muitas vezes, as histórias centradas nos mundos das mulheres podem nos ajudar a conceber uma sociedade radicalmente diferente daquela na qual a nossa identidade enquanto homem é a dominante. E eu sei que temos um longo caminho pela frente aí. Inúmeros meninos com quem trabalhei não possuem interesse na leitura ou alegam estar apenas interessados em livros de não ficção (que é onde os textos feministas ou livros sobre igualdade de gênero podem se inserir nos currículos escolares). Mas ler romances e tramas ficcionais também pode nos ajudar a expandir a imaginação e nos estimular no desenvolvimento da empatia, na medida em que somos envolvidos com o caráter e a história de uma pessoa que não teríamos conhecido de outra maneira. Tanto que me sinto autorizado a dizer que a leitura me transformou enquanto indivíduo: desde garoto, depois como adolescente e também como homem. De fato, durante as etapas mais turbulentas da minha identidade masculina, eu encontrei por acaso livros como *The will to change*, *We real cool*, *O deus das pequenas coisas*, *O conto da aia*, *A redoma de vidro* e *Eu sei por que o pássaro canta na gaiola*, e eles fizeram toda a diferença. Não acho que eu teria conseguido me liberar das amarras do condicionamento patriarcal se eu não tivesse lido esses livros (e certamente nem teria conseguido escrever a respeito). Para completar nossa formação, também devemos ler livros de outros homens cujas identidades e experiências ultrapassam as expectativas estereotípicas da masculinidade, histórias que nos apresentem para outras experiências pessoais dos homens e normalizem a empatia masculina.

Amor: Os homens precisam de amor. Os homens precisam de amor de outros homens, e não apenas das mulheres ou de suas parceiras ou parceiros. Os homens precisam de amor íntimo e não sexual, um amor que vá além das expectativas colocadas sobre a masculinidade, essa masculinidade que muitas vezes impõe aos indivíduos um sentimento de que eles só poderão ter um lugar no mundo quando forem capazes de realizar o que é esperado deles enquanto homens. Porque, como discutimos ao longo do livro, o patriarcado beneficia os homens, mas ele também pode devastá-los. E os homens precisam de amor para superar os sentimentos destrutivos, assim como eles precisam de amor para sentir que a vida deles vale ser vivida. Os homens precisam se sentir à vontade para dizer "eu te amo" a outros homens, sem a necessidade de acrescentar "cara", "mano" ou "parceiro", ou sem ter que dizer que é um amor "sem veadagem", o que só reduz a expressão do amor de um homem pelo outro a uma questão de sexualidade. E não é: o amor e o movimento de nos aceitarmos, ao mesmo tempo em que nos envolvemos com as pessoas ao redor, nos deixam à vontade na nossa própria pele.

Não podemos enfrentar nenhum dos problemas da vida a menos que sejamos confrontados por eles e os confrontemos de volta, a menos que a gente se informe e se eduque, a menos que a gente desaprenda os comportamentos tóxicos do nosso dia a dia e fale uns com os outros sobre o que são esses problemas. Mas essa educação e a linha de ação subsequente demandam ousadia e coragem. Não adianta apenas saber, precisamos *fazer*. E isso exige que nós encaremos a adversidade e nos arrisquemos a falar sobre o que é impopular, sobre o que pode nos retirar os nossos privilégios: é um gesto imperativo para que nós, enquanto homens, nos aventuremos a dizer até mesmo o que pode nos isolar ou nos condenar, pois, no final das contas, falaremos com a plena convicção de que estamos usando o nosso conhecimento em nosso benefício, em benefício das pessoas que amamos, da nossa sociedade e da nossa comunidade e, em um sentido mais amplo, em benefício da humanidade. Porque, seja em uma barbearia em uma tarde de sábado, seja esperando em uma fila quando alguém faz um comentário sexista ou homofóbico (e tenta disfarçar o preconceito sob um verniz de que é tudo uma "brincadeira"), seja no vestiário depois da academia ou logo depois de um jogo, seja na praça de alimentação na hora do almoço ou na balada, quando um dos seus amigos agarra uma menina e toca nela de maneira inadequada, seja em qualquer situação do cotidiano, precisamos ter coragem de falar abertamente sobre todo e qualquer problema — da mesma forma que precisamos ter coragem para nos educarmos e educarmos aos outros quando cometemos um deslize, tendo empatia e oferecendo ajuda a quem precisa, e sempre tendo a paciência para estender essa empatia e amor a você mesmo.

A masculinidade é fluida e está sempre mudando. O sistema do patriarcado não é permanente: ele foi criado pelas pessoas, assim como todos os sistemas de opressão, e por isso também pode ser transformado pelas pessoas. Mas o mundo só é modificado pelas pessoas que trabalham pela visão de uma vida melhor, um caminho que satisfaz ao invés de destruir, que estimula ao invés de oprimir, que nos enche de alegria e esperança ao invés de raiva e tristeza. E é o momento certo para isso: as máscaras que os homens vêm usando por décadas, ou até por séculos, precisam ser removidas de uma vez por todas para que possamos ver os nossos verdadeiros rostos. Assim que removermos essas nossas máscaras, veremos que o que existe por trás é um reflexo de quem somos de verdade, independente de quem nós escolhemos ser.

REFERÊNCIAS E INDICAÇÕES

ORGANIZAÇÕES E INSTITUIÇÕES DE CARIDADE

Mind: Instituição de caridade voltada à saúde mental, que oferece informações e conselhos para as pessoas com transtornos psicológicos, defendendo os interesses dessa comunidade junto ao governo britânico e a autoridades locais.

YoungMinds: Instituição de caridade que luta pela saúde mental de crianças e jovens.

Campaign Against Living Miserably (CALM): Instituição de caridade pela prevenção do suicídio entre homens.

SurvivorsUK: Organização que oferece apoio a homens vítimas de abuso sexual e que estende esse apoio a amigos e familiares da vítima.

Good Lad Iniciative: Organização que promove a masculinidade positiva, realizando cursos e oficinas, além de disponibilizar recursos a escolas, universidades e empresas.

MenEngage Alliance: Iniciativa global pela igualdade de gênero com foco em homens e adolescentes.

Good Night Out Campaign: Campanha pelo fim do assédio em bares, pubs, clubes e eventos em todo o mundo, fornecendo treinamento às pessoas que trabalham na economia do entretenimento.

Mermaids UK: Organização de caridade pela defesa da diversidade de gênero e da juventude transgênera.

Stonewall: Organização que coordena campanhas pelos direitos de lésbicas, gays, bissexuais e pessoas trans no Reino Unido.

Level Up: Organização feminista que atua em três grandes áreas: escolas & trabalho, assédio & violência e mídia & marketing.

All Out: Organização focada na defesa política dos direitos humanos de lésbicas, gays, bissexuais e transgêneros.

The Consent Collective: Organização ativista que ajuda comunidades a discutirem assédio sexual, violência sexual e abuso, trabalhando em conjunto com escolas, faculdades, universidades e empresários.

RunnyMede Trust: Laboratório de ideias que discute a igualdade racial e intervém em políticas e práticas sociais.

The ManKind Project: Rede global de organizações sem fins lucrativos de treinamento e educação focadas em iniciação à masculinidade moderna, autoconhecimento e crescimento pessoal.

A Call to Men: Organização britânica pela prevenção da violência, que oferece treinamento e educação para homens, meninos e comunidades.

The NAZ Project: Instituição de caridade dedicada a fornecer serviços de saúde sexual especificamente para comunidades negras, asiáticas e de outras minorias étnicas.

NUS I Heart Consent Campaign: Campanha de educação sobre o consentimento em universidades e faculdades em todo o Reino Unido.

OUTRAS LEITURAS SUGERIDAS

HOOKS, bell. **We real cool: black men and masculinity**. Abingdon: Routledge, 2003.

HOOKS, bell. **O feminismo é para todo mundo: políticas arrebatadoras**. Rio de Janeiro: Rosa dos Tempos, 2018.

CONNEL, R. W. **Masculinities**. Oakland: University of California Press, 2005.

OWUSU, Derek. **SAFE: on black british men reclaiming space**. Londres: Trapeze, 2019.

Copyright © 2019 JJ Bola
Título original: Mask off: masculinity redefined
Edição publicada mediante acordo com Pontas Literary & Film Agency

CONSELHO EDITORIAL
Eduardo Krause, Gustavo Faraon, Nicolle
Garcia Ortiz, Rodrigo Rosp e Samla Borges
PREPARAÇÃO E REVISÃO
Davi Boaventura e Rodrigo Rosp
CAPA E PROJETO GRÁFICO
Luísa Zardo
FOTO DO AUTOR
Arquivo pessoal

**DADOS INTERNACIONAIS DE
CATALOGAÇÃO NA PUBLICAÇÃO (CIP)**

B687s Bola, JJ.
Seja homem: a masculinidade desmascarada
/ JJ Bola ; trad. Rafael Spuldar. — 2. ed. —
Porto Alegre : Dublinense, 2020.
176 p. ; 21 cm.

ISBN: 978-65-5553-008-7

1. Masculinidade. 2. Violência. 3. Desigualdade
social. 4. Saúde mental. 5. Mitos. I. Spuldar,
Rafael. II. Título.

CDD 301.41 • CDU 305.31

Catalogação na fonte:
Ginamara de Oliveira Lima (CRB 10/1204)

Todos os direitos desta edição
reservados à Editora Dublinense Ltda.
Porto Alegre • RS
contato@dublinense.com.br

Descubra a sua próxima
leitura na nossa loja online

dublinense.COM.BR

Composto em BELY e impresso na PRINTSTORE,
em AVENA 90g/m², no INVERNO de 2024.